Au secours, mon Dieu !

Élise Rhisso

Au secours, mon Dieu !

Roman

LE LYS BLEU
ÉDITIONS

Note de l'auteure

Cet ouvrage est un récit quotidien avec le Seigneur. Il rend hommage au plus grand personnage connu et qui s'est fait homme pour notre salut. Ce récit apporte des éléments de réponse pour comprendre la foi, l'amour et l'espérance que l'on ressent en tant qu'humain au XXIᵉ siècle, sans chercher une preuve de son existence.

On croit ou on ne croit pas, comme le souligne Spinoza, l'idée n'est vraie que si je la vis vraie, ce qu'en diront les autres n'est pas forcément vérité tant que je ne saurai pas que c'est vrai.

La foi, c'est l'expérience que nous avons en ces temps difficiles. Ces écrits ont été rédigés en période de pandémie de la COVID-19. Car avoir la foi, c'est croire à ce que nous ne voyons pas par les yeux de notre corps. Nous en sommes là. Croire que nous sommes enfants de Dieu, croire au retour vers lui nous sauvera de nos maladresses, de nos actes et de nos actions, nous rédimera de nos fautes. Plus que jamais, Jésus est avec nous. Il est bien plus proche que nous ne le pensons. Je le remercie pour accepter de lui rendre hommage, dans mon humble vie, celle qu'il a choisie pour moi, en sa présence quotidienne.

Au secours, mon Dieu ! est un récit, loin s'en faut de convaincre le lecteur, mais celui ou celle qui aura entre les mains ce livre est déjà en chemin ou prêt à prendre le chemin que lui offre Jésus. Il l'appelle vers lui.

Le commandement le plus important est « Tu aimeras l'Éternel ton Dieu de tout cœur, de toutes pensées et de toute ta force », Deutéronome, verset 6 : 5.

Il met en lumière la force du Christ dans un monde tourmenté et miséreux, errant sans but. Il apporte la légèreté d'un monologue adressé au Très-Haut, pour des siècles et des siècles.

Chapitre 1
À la faiblesse de mon être...

À la faiblesse de mon être, il m'encourage à persévérer, il m'accompagne à faire chaque pas et ne me laisse pas seule. Je me retrouve souvent emportée par mes émotions. Lui, il n'est ni content, ni fâché. Il ne me supporte pas, il m'aime. Il me dit de m'observer, de me regarder et de ne pas me juger. Il me prend la main. Il me tient par la main. Il marche avec moi ; j'avance avec lui. Il prend patience lorsque je trébuche, lorsque je n'ai pas envie, lorsque je suis fatiguée. Il s'arrête et me sourit. Il connaît déjà tout cela de moi. Il est moi. Et moi, je ne comprends pas toujours être lui. Je ne comprends pas parce que je suis encore si éloignée de lui. Il sait tout cela. Il connaît. Il l'a vécu, il l'a testé avant moi, il me montre la voie. Il me dit : « Fais confiance », c'est tout ce que tu as à faire.

Chapitre 2
Au réveil de cette journée...

Au réveil de cette journée, je ressens près de moi sa présence. Aussi doux que le souffle discret à l'aube du petit matin. Aussi présent que l'empreinte de l'être aimé dont on sait qu'il va revenir. Il est là, partout, omniprésent. Il est dans mon cœur, dans toutes les cellules de mon corps, si merveilleux et si humble à la fois. Tant pis, si je ne veux pas le partager avec les autres, je m'en excuse par ma condition humaine. Il me dit qu'il n'est pas partageable, seulement, vivant pour tous ceux qui le réclament, pour tous ceux qui l'accueillent. Je vais faire une balade avec lui, cette journée. Tous mes gestes, toutes mes paroles, tous mes actes ne seront que le manifeste de lui.

Chapitre 3
Je dis que je l'aime…

Je dis que je l'aime. Oui, je l'aime autant que je puisse le faire en tant qu'humain. Il ne peut être choqué d'être aimé comme je puisse le faire. Il a vécu et souffert cet amour pendant sa passion pour comprendre nos limites et nos difficultés à devenir des êtres libres. Il nous a rappelé combien nous souffrions, combien nous aimions si mal, si peu, si décalé de lui. Je voudrais mieux comprendre l'intensité de son amour pour nous tous. Je ne fais que le survoler par mes croyances. Et quand je pense me rapprocher de lui, je ressens un sentiment d'orgueil, croyant avoir déjà compris. Alors, il se passe ce qu'il se doit se passer pendant ces moments-là, je rechute, et j'ai l'impression de redescendre et de recommencer. Je lui demande alors de tout mon cœur de me voir avec les yeux de sa toute bonté pour accepter que « je l'aime » au plus haut point que je puisse le faire. Afin de ne pas me trahir, je choisis de lui dire que « je suis amoureuse de lui ».

Chapitre 4
Oh, Christ ! Tu es la source à tous mes déserts…

Oh Christ ! tu es ma source à tous mes déserts. Pas de ces déserts silencieux au point de me sentir excentrée de la terre. Plutôt de ces déserts remplis de vie, dans la tourmente de mes émotions, au cœur des pièges et du malin. De ces déserts qui me rappellent que je me sens seule, que je ne suis qu'une petite chose, bousculée par l'agitation du monde. Je me souviens que toi aussi, tu as traversé ces déserts. Tu as pris à bras le corps mes émotions et mes ressentis pour faire un avec moi. Comment alors me vois-tu pour que tu agisses de manière à me connaître plus que je ne me connais ? Qui suis-je pour toi pour te confondre en moi et me soutenir dans de telles épreuves ? Je suis si aveuglée que je ne peux pas voir les mêmes choses que toi. Donne-moi la vue de tes sens et de ta sensibilité afin d'unir nos âmes tout au long de ce parcours commencé un jour et qui ne s'éteindra pas de sitôt.

Chapitre 5
Il est la lumière de chaque jour

Il est la lumière de chaque jour. Il éclaire tous les pas que je fais et me conduit pas à pas dans mon chemin de vie et dans mes sentiers cailouteux et sinueux. Il me dit que je suis capable de vivre ma vie telle que Dieu m'a créée. Il me rassure lorsqu'il me dit de m'observer, d'écouter les paroles de mon âme et les désirs de mon cœur. Il sait que rien ne peut empêcher la puissance de Dieu et me prévient que les apparences ne sont que des apparences, vues par mes yeux, tant que je serai dans ce corps. Il me dit ne cherche pas ; il me dit cherche-moi plutôt et je suis ta réponse. Il m'apprend que les réponses de ce monde ne sont pas celles de l'Esprit saint. Il m'apprend que les seules réponses essentielles sont celles du ciel. Les réponses sont celles que je ne vois pas, que je ne perçois pas et que je n'attends pas. Elles sont bien au-delà de tout cela. Elles sont à l'encontre des attentes humaines. Il m'attend dans l'élévation que je veux être et il m'attend pour lui répondre OUI. Il me dit : « Viens vers moi et tu n'auras plus jamais soif ! »

Chapitre 6
J'ai soif, j'ai faim, j'ai envie de me balader...

J'ai soif, j'ai faim, j'ai envie de me balader, de faire ou de ne rien faire, j'ai beaucoup de désirs et puis aucun à la fois, je doute, je remets ou je réitère, je lutte ou je combats, j'abandonne ou je ne lâche rien, je, je, je... Au bout du compte, je me rends compte que dans cet espace, je ne compterais donc que pour moi-même ?

Il me dit : « Je t'ai souvent enseigné mes préceptes. Je t'ai donné des exemples de foi, d'amour et d'espérance. Je t'ai commandé d'aimer les autres comme je t'ai aimée. Je t'ai si souvent montré la voie et prouvé l'existence de Dieu. Qu'en fais-tu au quotidien ? Comment te comportes-tu ? Qu'en as-tu appris ? Je t'ai aussi si souvent fait comprendre que tu n'es pas de ce monde mais que tu es dans ce monde de la même manière que je l'ai vécu. De quoi as-tu peur pour continuer à croire que les autres sont bien plus importants que moi ? Je te rappelle que tu es parmi les autres, en compagnie et en partage avec les autres ; manques-tu autant de bienveillance pour te comporter comme un prédateur et un égoïste sur la terre ? Souviens-toi de la douleur que tu as ressentie lorsque tu m'as vu m'éteindre sur cette croix ? J'ai vu tes larmes et j'ai ressenti tout ton amour à ce moment-là. Je fermais les yeux et ma souffrance se mêlait à la force de ton amour. Mon cœur battait plus fort et plus vite parce que j'attendais que l'espérance que je laissais au monde se répandrait comme la douce brise, aussi légère que palpable, dans une étendue d'étoiles, j'ai communié avec toi et ma douleur est devenue moins forte. J'étais en train de lâcher prise et je remerciais mon père pour cet indéfinissable instant qui m'amenait vers l'éternité de mon âme. J'aurais voulu que tu poursuives le chemin avec moi. Tu as choisi de croire que tout était fini. Tu as vu ce relâchement comme une fin en soi. Je t'ai pourtant dit que je serai là jusqu'à la fin des temps. Tu as compris que je n'étais là que jusqu'à mon dernier souffle. Il est si difficile de te faire accepter que tu me comprennes.

Aujourd'hui encore, je te vois courir partout dans cet espace que tu as nommé enfer ou liberté. Je te demande de te poser et de t'observer. Où cours-tu comme cela ? Où veux-tu aller ? Remercie plutôt d'être là, à cet instant-là, c'est la plus grande expérience de ta vie que de réapprendre la personne que je suis. Toutes les recherches ne peuvent rien de plus que ce que je t'apprends. Tu ne peux rien conserver. Rien d'autre, sauf une chose, l'amour que j'ai éternellement pour toi ! »

Chapitre 7
Il ne se passe pas un jour...

Il ne se passe pas un jour, une heure, une minute ou une seconde sans lui. Il arrive à façonner mon être et à guider ma vie. J'écoute souvent le souffle de sa présence. Je l'entends, je le perçois à chaque fois que j'agis, que je me déplace, que je demande, que je trouve, que je découvre, que j'imagine ou que je crée.

Je suis pourtant si tentée de faire sans lui. Comment ? Je me laisserais emporter par mes idées et mes pensées, par l'envie de prendre un chemin détourné, par mes sentiments. Il me dit : « Calme-toi ; ton cœur bat au même rythme que le mien, tu ne peux pas être seule, tu ne peux pas agir sans moi, tu ne peux pas connaître la détresse, l'effondrement de ton âme. Tu veux écouter l'extérieur et voir les apparences, alors à chaque fois que tu fais cela, tu oublies que je suis là. Laisse les autres choisir leur chemin, laisse-les venir à ma rencontre, laisse-les grandir, laisse-les apprendre et réapprendre, laisse-les se tromper, s'habituer et laisse-les tomber afin qu'ils comprennent ce que c'est que de se remettre debout. Je suis là pour toi ; je suis là pour chacun de tes frères et sœurs. Ils croient souvent être dans l'impossibilité d'ouvrir leurs yeux. Ils croient à tout un tas de choses, mais ils ne croient pas à leur salut. Ils croient être condamnés et jugés. En effet, ils le sont par eux-mêmes et ils créent des groupes du même genre. Ils se croient libres. Tout cela n'est que pures contraintes et obligations. Comment se sentir libres lorsqu'on se laisse enchaîner par la peur, la colère, la culpabilité et la haine ? Ils ont remplacé leur intégrité par la technologie.

Ils ont remplacé leurs qualités d'âme par une intelligence artificielle. Voilà ce qu'ils sont devenus, des êtres artificiels, qui n'ont plus le courage de compter ni sur eux ni sur les autres. Dis-leur que malgré leurs égarements, je les aime ! »

Chapitre 8
Il veut que je sois avec lui…

Et celui qui vous donnera à boire un verre d'eau parce que vous appartenez au Christ, je vous le déclare, c'est la vérité : il recevra sa récompense.

Marc, verset 9 : 40

Il veut que je sois avec lui, mais il veut que dans ces temps forts de notre humanité, tous les autres soient avec lui. Il veut que nous comprenions où est notre source, et comment nous ne pouvons agir seuls sans lui. Il manifeste sa présence et frappe aux portes du cœur de chacun d'entre nous. Quand lui ouvrira-t-on ? Combien de temps encore faudra-t-il pour comprendre qu'il est omniprésent à toute chose et en tout lieu ? Comment comprendre que nous avons été longtemps séparés de lui et qu'aujourd'hui, nos égoïsmes ont provoqué des conséquences dramatiques dans nos vies et aussi dans celles des autres ? Il suffisait de suivre son enseignement. Il suffisait d'appliquer ses commandements et alors tout aurait toujours été simple et clair. Tels des enfants gâtés, nous avons cherché à prouver que son enseignement était d'un autre temps et démodé. Qui en a décidé ainsi ? Comment avons-nous pu nous extraire du royaume de Dieu à ce point ? Sur quels fondements avons-nous posé nos jalons et bâti nos vies ? Nous avons perdu le souvenir de notre identité en Dieu jusqu'à faire de nous-mêmes des êtres déformés et méconnaissables. La preuve en est aujourd'hui où le seul fait de prononcer le nom de Dieu ferait insulte. Nous nous cachons derrière notre éducation et nos savoirs pour fuir qui nous sommes en Christ. Nous souhaitons rester en surface de notre Identité profonde alors même que nous avons à lui parler et à reconnaître la faiblesse nourrie par nos orgueils et la qualité de nos âmes. Il nous connaît par cœur, lui. Rien ne l'étonne dans nos comportements. Il attend de nous, un esprit de lucidité pour décoder la seule chose qui peut nous sauver, celle de l'amour !

Chapitre 9
La vie avec l'esprit de Dieu...

La vie avec l'esprit de Dieu, c'est ce que je cherche tous les jours. Il me dit : « Écoute et prends patience. Tu apprends chaque jour à connaître la patience. Je l'ai connue lorsque j'ai souffert la passion, comme vous l'avez appelée. Oui, j'ai éprouvé la patience. J'en ai souffert jusqu'à mon dernier souffle. C'est une expérience si difficile parce que j'aurais pu commettre le péché de la colère pendant ce chemin de croix. J'aurais pu rejeter cette situation ; j'aurais pu me mettre en colère contre la bêtise et l'incrédulité de ces bourreaux, de ces gens-là qui me voyaient si différent des autres et qui ont eu peur de moi. J'ai mis ma confiance en mon père du ciel et j'ai choisi la patience. Je n'avais pas de doute. Je savais au fond de mon cœur et au plus profond de mes entrailles que la patience m'amènerait vers l'espérance. Ai-je trouvé ce supplice interminable ? Au contraire, c'est l'impatience qui m'aurait appris ce sentiment. Ai-je trouvé cette épreuve insurmontable ? Au contraire, c'est l'impatience qui m'aurait appris ce sentiment. J'aurais pu juger et condamner tous ceux qui m'entouraient et voulaient tellement me faire du mal. J'ai patienté. Ils ont pensé que je n'étais pas des leurs. Ils ont eu peur parce qu'à ce moment-là, ils ont vu que j'étais plus grand qu'eux. Alors, pris de panique, ils ont continué à m'humilier et à faire croire à l'assemblée que je n'étais qu'un imposteur. Ils ont voulu témoigner à l'assemblée que je réagissais comme un homme ordinaire et qu'aucun homme ne pouvait résister à tant de tortures. Certains d'entre eux ont réalisé que je n'étais pas des leurs et que mon nom était au-dessus de tout ce qu'ils pouvaient imaginer. Certains ont eu honte et ont laissé la sale besogne aux autres qui n'ont pas tout de suite compris. D'autres ont mis en avant leur orgueil et se sont convaincus d'obéir aux autorités, mais ce que l'on ne vous dit pas c'est que beaucoup ont pleuré... ils avaient compris qu'on leur avait menti ».

J'ai souvent été confrontée à ma propre ignorance dans ma vie. Cela m'a amenée à faire de mauvais choix. L'orgueil est un moyen de remplacer l'ignorance. Il met un pansement sur tous les préjugés et réflexions faciles. Je me réfère souvent au passage douloureux de Jésus. Et je me dis que bien souvent, j'arrive à me faire du mal par ignorance. Jésus me rappelle à l'ordre, me rappelle qu'il est avec moi pour que je sache, pour que je voie et pour que je comprenne.

Je recommence alors et j'essaie de prendre patience parce que : « Mais vous, vous ne vivez pas selon votre propre nature ; vous vivez selon l'Esprit saint, puisque l'esprit de Dieu habite en vous », Romains, verset 8 : 9. Amen !

Chapitre 10
La paix est un état qui a bien du mal
à se faire connaître...

La paix est un état qui a bien du mal à se faire connaître. En fait, la paix est un choix. Le choix de vivre dans ce monde ou bien le choix d'être de ce monde. Ce n'est pas la même chose. En effet, si mon âme et mon esprit sont attachés aux œuvres de ce monde et aux manifestations uniquement de ce monde, je vais aussi reproduire cet état et je représenterai ce monde comme si je lui appartenais ou pire encore comme s'il m'appartenait. J'en ferai une base et un support et aussi mon espace de propriété et de possessions.

Alors que si je suis dans ce monde, je passe, j'expérimente, et tout au plus j'aide et j'aime avec l'idée que je reviendrai chez moi, de là où je suis venue, auprès de celui qui m'a envoyée et qui attend mon retour. Je ne viens pas en voleuse mais bien au contraire je suis attentionnée à tout ce qui m'a été prêté dans ce monde. Je fais bien attention de repartir en laissant ce monde dans l'état dans lequel je l'ai trouvé ; car, je crois que bien d'autres après moi viendront et vivront dans ce monde aussi furtivement que j'y ai vécu. Je suis certaine aussi que le bref passage qui m'a été accordé dans ce monde sera aussi difficile que celui qui est venu avant moi : *si le monde a de la haine pour vous, sachez qu'il m'a haï avant vous. Si vous apparteniez au monde, le monde vous aimerait parce que vous seriez à lui. Mais je vous ai choisis et pris hors du monde, et vous n'appartenez plus au monde ; c'est pourquoi le monde vous hait. Rappelez-vous que je vous ai dit :* « Un serviteur n'est pas plus grand que son maître. Si les gens m'ont persécuté, ils vous persécuteront aussi ; s'ils ont obéi à mon enseignement, ils obéiront aussi au vôtre » Jean, verset 15 : 18 à 20. Alors oui, la paix est un état qui a bien du mal à se faire connaître.

Chapitre 11
Je crois que ce monde a besoin de réconciliation...

Je crois que ce monde a besoin de réconciliation. Au cours de mes formations, je parle de « l'amour ». Combien est-il difficile de traiter ce sujet en entreprise ? Pourquoi ? Malheureusement, le cœur des gens s'est desséché. En séchant, les gens ont cru que le cœur pouvait être ouvert pour certaines situations et fermé pour d'autres. Il en est ainsi dans le monde du travail ; le management, toujours tourné vers la rentabilité et la production, a décidé de faire de leurs équipes des gens contraints à se disputer un poste, une promotion et une reconnaissance. Il en va de la santé mentale des salariés dont la qualité de leur être se mesure à la capacité de leur production et à la compétition envers leurs collègues. La valeur actuelle de l'homme est comparable à son taux égotique. La souffrance qui en est générée est un combat quotidien. La pression et la peur de ne pas y arriver et d'être évincé d'un groupe se manifestent par une agressivité élevée qui développe une force mentale, donc liée à l'ego, jusqu'à faire éteindre les battements du cœur. Que se passe-t-il lorsque les battements du cœur sont éteints ? C'est la mort. C'est la mort dans l'âme. La mort dans l'âme, qui, à force d'utiliser les armes de défense et d'attaquer au profit du bon fonctionnement d'une entreprise, détruit un être dans sa globalité et laisse un corps desséché de toute sa substance.

Réveillons donc, toutes ses âmes qui, en entreprise ou pas, ne peuvent pas continuer à poursuivre une carrière sans aucun sentiment, juste séduites par le pouvoir et pour la réussite sociale. Faisons et rencontrons des managers dignes de gérer des équipes avec cœur, afin que chacun se reconnaisse et trouve la place qu'il convient. Que les managers cessent de faire croire aux salariés que leur réussite passe par l'appropriation du pouvoir et de l'autorité ; que les managers cessent de tenir les salariés et les futurs responsables par des promesses et des objectifs inatteignables, au détriment de leur santé et surtout de leur âme. Enfin que les responsables d'une équipe comprennent le respect de l'autre et décident de placer les ambitieux avec les ambitieux et les humbles avec les humbles, afin que chacun respecte son savoir-être et son savoir-faire.

Alors, oui, l'amour doit être partout et même en entreprise. Parce que là où il n'y a pas d'amour, il y a gêne, conflits et disputes, sous-entendus et malentendus, compétition et manque d'attention envers les autres, manque de respect et indifférence à la souffrance de l'autre, ironie et moquerie. Là où il n'y a pas d'amour, le Seigneur ne peut se manifester, ne peut venir en aide.

Comment est-ce possible d'avoir rendu l'amour « sale » alors que c'est la plus belle chose que puisse vivre l'homme, c'est le plus beau cadeau donné sur cette terre.

Est-ce donc plus facile de haïr plutôt que d'aimer ? Comment ne pas regarder l'autre avec douceur ? Nous regardons l'autre comme notre ennemi, toujours en quête d'une faille que nous pourrions lui trouver afin de le surprendre. Oui, ce monde manque de réconciliation.

Je dis souvent aux encadrants d'équipes d'aimer leurs équipes, de se comporter avec leurs équipes comme ils aimeraient que leurs équipes se comportent avec eux. Vous ne serez pas étonnés de savoir que tous n'adhèrent pas à mon idée. Ils n'adhèrent pas parce que les managers ne savent pas toujours ce qu'ils font en réalité lorsqu'ils dirigent les autres. Ils passent plus de temps à programmer des stratégies d'entreprise sur l'instant, à court terme, sûrs d'être indispensables. Comment gérer une équipe qu'on considère comme une équipe de « bras cassés » ? Qu'aurait fait Jésus si à chaque fois qu'il remarquait les faiblesses de ses apôtres, il se mettait à les rabaisser ? Jésus était bien un encadrant et un enseignant, qui leur apprenait à penser par eux-mêmes, il leur posait des questions, il les incitait à se poser des questions, à décider par eux-mêmes, à respecter les commandements de son père, à diffuser la parole de Dieu, pour les encourager à devenir des exemples, à gagner en liberté et en autonomie. Jésus n'a pas appris la compétition, il a appris le partage.

Il arriva ainsi près de Simon Pierre qui lui dit :

« Seigneur, vas-tu me laver les pieds, toi ? » Jésus lui répondit : « Tu ne saisis pas maintenant ce que je fais, mais tu comprendras plus tard. » Pierre lui dit : « Non, tu ne me laveras jamais les pieds ! » Jésus lui répondit : « Si je ne te les lave pas, tu n'auras aucune part à ce que j'apporte. » Simon Pierre lui dit : « Alors, Seigneur, ne me lave pas seulement les pieds, mais aussi les mains et la tête ! » Jean, verset 13 : 6 à 9.

Pour cela, il faut d'abord se réconcilier avec soi. S'agenouiller devant les apôtres montre l'humilité et l'amour qu'il avait pour eux. Comment aujourd'hui, manifeste-t-on de l'amour les uns pour les autres ? Je ne cesserai de redire l'urgence de la réconciliation, pour intégrer l'autre en tant qu'ami.

Chapitre 12
Les hommes sont esclaves...

Les hommes sont esclaves. Ils ne cherchent pas la vérité. Ils ne demandent pas ce qu'est la vérité. La réponse peut être simple, même en notre temps. D'un point de vue spirituel, la vérité est la parole de Dieu. Si on s'y penche de plus près, la vérité est la vraie et seule conduite que j'accepte de mettre en pratique et qui permet de discerner ce qu'on peut appeler « le bien ou le mal ». Combien de fois ai-je constaté que les gens sont prêts à défendre le mensonge sous prétexte qu'il sert à protéger l'entourage professionnel ou à rendre les autres plus heureux ? Se cacher derrière les codes sociaux, c'est adopter une attitude hypocrite et endosser un semblant de bienveillance vis-à-vis des autres. Depuis quand l'hypocrisie rend les gens heureux ? oui, mais direz-vous, dans ce monde-ci, si tout le monde se disait la vérité, il y aurait tellement de drames. Pourtant, les drames sont déjà là, non ? Serait-ce à cause de la vérité ou à cause du mensonge ?

Les conflits sont-ils liés au mensonge ou à la vérité ? Chacun fait du mensonge une part de vérité (pris pour du mensonge) pour avoir raison et pour convaincre ou gagner. Les conflits sont des mensonges que l'on essaie de faire passer pour vrais afin de trouver le moyen de s'en sortir en réponse à ses intérêts personnels. Que nous soyons en entreprise ou pas, ce fonctionnement est pareil. Premièrement, la perception d'une situation, deuxièmement, l'implication à cette situation et enfin, le désaccord entre les personnes impliquées dans la situation. La vérité fait peur parce qu'elle met en lumière le côté obscur de notre être. La vérité dérange. Aussi, les gens sont plus emprunts à défendre le mensonge que la vérité. L'homme doit apprendre à contrôler ses paroles, à tempérer son ego et ses pulsions, à ne pas faire du mensonge la vérité pour l'utiliser comme une arme contre son prochain. L'homme doit apprendre à se faire davantage confiance et à faire confiance au Seul qui sache réellement faire la part des choses. L'homme doit à nouveau s'enraciner et s'abreuver à la source. La source ne pourra jamais l'influencer dans ces comportements-là, non appropriés à la vérité. Il trouvera sa justesse en s'observant et en y trouvant la paix dans sa propre observation. C'est la vérité qui donne la joie, la paix et le calme. Le mensonge ne peut jamais devenir la vérité. Le mensonge n'est pas un prétexte ou une raison pour se défendre. Le mensonge installe l'homme dans l'obscurité ; la vérité fait grandir l'homme vers la lumière.

Chapitre 13
Nous arrivons à un moment si redouté pour certains, et si attendu pour les autres…

Jérémie, verset 23 : 3 à 4 : « Je vais rassembler moi-même les survivants de mon troupeau, dans tous les pays où je les ai dispersés. Je les ramènerai à leur pâturage, où ils pourront prospérer et se multiplier. Je mettrai à leur tête de vrais bergers, grâce auxquels ils n'auront plus ni peur ni frayeur. Aucun d'eux ne manquera plus à l'appel, dit le Seigneur. »

Nous arrivons à un moment si redouté pour certains et si attendu pour d'autres. Le plan de Dieu est en place. Il a si souvent appelé les hommes à se ressaisir. Il les a laissé faire ; il les a laissé jouer. Il nous a tellement aimés. Il ne nous a jamais abandonnés. Pourtant, nous avons agi contre lui en lui tournant le dos. Nous avons voulu lui montrer que nous pouvions agir tout seuls. Nous nous sommes donc égarés. Tellement égarés par nos comportements égoïstes, cupides, incohérents, avides. Notre ère parle de solidarité et d'humanité, d'écologie et de partage, d'amour et d'humilité. C'est sûr ! nous en parlons. Que faisons-nous en réalité, vraiment ? Notre pseudo « bonne conscience » n'échappera pas au glaive de Dieu. On ne se moque pas de Dieu. On ne négocie pas avec lui. Pourquoi ? Parce qu'il connaît parfaitement toute sa création.

Chaque jour, je me demande si j'ai bien agi et si je plais au Seigneur. Qu'est-ce qu'il attend réellement de moi ? Comment répondre à son amour ? Je ne veux pas le lâcher. Je ne veux pas m'éloigner de lui. Il est mon unique famille.

Les hommes d'aujourd'hui ne se posent plus ces questions. Ils ne se posent plus pour s'interroger sur les raisons de leurs difficultés. Ils ne s'accordent plus un instant pour s'interroger sur leur manière de vivre. Ils avancent dans le noir. Sûrs qu'ils y voient. Sûrs que leur salut dépend de leur manière personnelle de faire. Mon Dieu, merci de m'avoir donné des épreuves de foi. Merci d'avoir manifesté ta présence à chaque fois que ma vie était en danger. Merci d'être là tout le temps. À chaque seconde.

Ne continuons pas dans ce sens. Nous sommes arrivés au moment où nous devons réapprendre le vrai sens de la vie. Avant de parler de solidarité ou de lien social, commençons par nous tourner vers le Seigneur et lui rendre grâce pour tous ses bienfaits. Rappelons-nous que nous sommes aimés, inconditionnellement et infiniment plus que nous n'aimerons jamais ici et maintenant, et nous retrouverons le chemin de l'amour. Alors dès que nous aurons remis nos faiblesses au pied de Dieu, dès que nous nous serons totalement donnés au Seigneur, non pas comme des gens certains de nous être construits tout seuls, mais comme des gens certains que rien ne s'est fait sans lui, alors nous pourrons manifester nos gestes d'amour et de compassion envers nos semblables. Cela ira au-delà de nos propres pensées. Enfin, nous agirons en tant qu'êtres humains libres et responsables de nos actes. Enfin, nous nous reconnaîtrons, et nos prières seront d'une telle puissance que Dieu lui-même n'en croira pas ses oreilles ! Cherchons plutôt la joie, la paix, le partage, l'enseignement de notre amour de Jésus. Abandonnons l'homme méchant pour ouvrir nos cœurs au rythme d'une nouvelle ère conscientisée et divinisée.

Chapitre 14
Oui, l'Homme est devenu sourd
aux paroles de Dieu...

Ézéchiel, verset 2 : 6 à 7 : « Quant à toi, l'homme, n'aie pas peur d'eux ni de leurs paroles. Ils te contrediront : ce sera comme si tu étais entouré de ronces et assis sur des scorpions. Cependant, ne sois pas effrayé par les paroles ou par l'attitude de ce peuple récalcitrant. Tu leur répéteras ce que je dirai, qu'ils t'écoutent ou refusent de le faire à cause de leur entêtement. »

Oui, l'homme est devenu sourd aux paroles de Dieu. Oui, l'homme a changé son cœur. Il a sclérosé son cœur au lieu de le développer. Il a choisi de s'égocentriser et d'être apeuré par ses propres culpabilités. Il a nié toute respiration divine. Il a choisi l'autopunition engendrée par Adam et Ève. Pourquoi l'homme refuse-t-il le pardon de Dieu ? Parce que l'homme ne perçoit pas les témoignages d'amour de Dieu. Ils espèrent constamment la reconnaissance de leurs semblables sans prendre conscience de leurs propres capacités à aimer et à pardonner. L'homme en veut à l'homme pour sa solitude et pour son égarement ; il reproche l'agressivité, l'incompréhension, la haine, le manque de confiance, le manque de discernement, le manque de compassion, l'absence d'empathie et d'aide, le manque de partage et d'implication. Il n'a pas compris que tout ce qu'il reproche à son prochain, c'est ce qu'il se reproche à lui-même. L'homme ne vit pas en lui, il vit en dehors de lui. Il cherche en dehors de lui, espérant que les autres le combleront de tous ses manques. Il sait toutefois qu'il ne trouvera pas en eux le salut. Pourtant, comme s'il espérait se retrouver dans les yeux de l'autre, il poursuit cette quête sans fin et s'y perd. Il ne cherche pas au bon endroit. Le Seigneur ne cesse de lui faire des signes et de l'appeler de toutes ses forces ; l'homme ne l'entend pas, ne le voit pas. Il s'est posé sur le socle de l'instabilité au lieu de s'accrocher aux parois de l'espérance. Alors, toujours entre deux mouvements, l'homme croit qu'il emprunte le chemin de la sécurité lorsqu'il regarde en dehors de lui-même. Chercher la sécurité hors de soi, c'est entretenir la peur qui le ramène à la culpabilité. Chercher la sécurité dans l'insécurité, c'est comme essayer de marcher sur l'eau. Dieu est mon seul appui sécurisé, ma seule aide sincère. Il n'a pas créé l'homme pour qu'il se noie. Il l'a créé pour que Dieu se réalise et se développe au travers de sa création. Il l'a créé pour une unicité parfaite, en tout temps et en tout lieu. Il l'a créé pour que l'homme l'adore au-delà de toutes limites et toutes frontières. Il l'a créé pour que la vie soit éternelle et éclatante de joie et de paix. Il l'a créé pour que l'homme réfute la mort parce que la mort n'existe pas telle qu'on la définit. La mort est une pensée obscure de l'homme qui l'enchaîne à sa condition humaine pour profiter de ses faiblesses et de ses pseudo-pouvoirs envers ses congénères.

Dieu n'a de cesse que de nous appeler à revenir vers lui, maintenant que nous avons suffisamment joué avec nos désirs personnels. Glorifions Dieu toujours et à jamais !

Chapitre 15
Dieu ne fait pas de politique

Dieu ne fait pas de politique. Il ne s'occupe pas des affaires communes des hommes. Il ne cherche pas à savoir qui est le plus fort, le plus beau ou le plus intelligent. Dieu n'est pas intéressé par les jeux politiques ou par les stratégies des hommes. Dieu veut que les hommes s'élèvent. Pour cela, il doit faire un choix ; le choix de suivre la voie de l'attachement matériel et des désirs personnels ou le choix du détachement matériel et personnel. « ... Nous savons que tant que nous demeurons dans ce corps, nous sommes loin de la demeure du Seigneur... » Corinthiens 2 verset 5 : 6.

Et même si nous savons que tant que nous sommes incarnés, nous serons loin de cela, n'oublions pas que : « Mais nous désirons avant tout lui plaire, que nous demeurions dans ce corps ou que nous le quittions. Car nous devons tous comparaître devant le Christ pour être jugés par lui ; alors chacun recevra ce qui lui revient, selon ce qu'il aura fait en bien ou en mal durant sa vie terrestre », Corinthiens 1, verset 5 : 3 à 4.

Dieu est attentif à nos actes, et ce durant toute la durée de notre vie sur terre. Il attend que nous répondions à ses attentes et à la divine volonté. La divine volonté montre que nous sommes si attachés et aimants envers lui que nous ne pourrions même pas imaginer qu'il en soit autrement. Et s'il en est autrement, c'est bien parce que nous nous sommes laissé rattraper par nos travers et nos faiblesses. Au lieu de nous justifier, pourquoi ne pas au contraire, accepter qui nous sommes dans notre condition et permettre à Dieu de nous guider et de nous rencontrer.

Rencontrer les autres et leur parler de Dieu comme un vrai membre de la famille. Plus que cela, Dieu n'est pas vraiment un vrai membre de la famille, il est le chef de la famille ; il est celui en qui je me confie, celui en qui je demande conseil, celui en qui je demande mon chemin et mon orientation. Il est parmi nous et avec nous. Tout le temps. Ni l'oubli, ni nos désirs, ni nos actes, ni nos actions ne peuvent arriver à nous séparer à partir du moment où je l'accepte comme mon seul ami, père et confident. Amen !

Chapitre 16
Si faibles et si orgueilleux à la fois...

« Vous aviez pris un si bon départ ! Qui a brisé votre élan pour vous empêcher d'obéir à la vérité ? » Galates, verset 5 : 7.

Si faibles et si orgueilleux à la fois, comment avons-nous pu nous éloigner de Dieu ? C'est comme si nous faisions un pied de nez à notre créateur. Parce que nous avons décidé que notre liberté est en fait de nous rendre esclaves par nos « mauvaises habitudes », aujourd'hui encore, nous continuons à croire que notre liberté est extérieure et sans notre père. Tant que nous ne nous laissons pas guider par l'amour, nous ne serons jamais libres. Nous ne pouvons devenir libres tant que nous agissons par vengeance, par manipulation, par stratégie, par peur, par envie, par jalousie, par dégoût, par haine, par résistance, par comparaison, par opportunisme, par attachement, par intolérance, par rivalité, par compétition, par cupidité, par avidité, par mensonge, par stratégie, par dénigrement, par critiques, par commentaires, par jugement, par rejet, par violence, par faiblesse, par emportement et par colère, par trahison et par indifférence, par malignité et par suspicion, par égoïsme et par ironie, par moquerie et par méchanceté, par destruction et par cachotterie, par blessures et par crime, par mauvaises intentions et par animalerie, par sauvagerie, par tromperie, par dénigrement et dévalorisation, par honte et par culpabilité, par incohérence et par invention. Oui, l'amour fait abstraction de tout cela autant que nous en prenions conscience. L'amour est, il englobe la vérité. La vérité est lumière. La lumière est la vie. La vie est continuité. La continuité est éternelle. L'éternité est le socle de notre être. L'être est Dieu. Dieu est la source. La source est le début. Le début est le verbe. Le verbe est la pensée. La pensée est l'énergie. L'énergie est le feu. Le feu est la chaleur. La chaleur est la fécondité. La fécondité est le développement. Le développement est le Tout. Le Tout est visible et invisible. Le visible et invisible sont vivants. Le vivant est l'amour inconditionnel de Dieu. Dieu est mon autel. L'autel du Sacré-Cœur de Jésus, à jamais éternel, à jamais aimé !

Chapitre 17
Qu'avons-nous semé pour récolter
la colère de Dieu ?

« Ne vous y trompez pas : on ne se moque pas de Dieu. L'homme récoltera ce qu'il aura semé. S'il sème ce qui plaît à sa propre nature, la récolte qu'il en aura sera la mort ; mais s'il sème ce qui plaît à l'Esprit saint, la récolte qu'il en aura sera la vie éternelle. Ne nous lassons pas de faire le bien ; car si nous ne nous décourageons pas, nous aurons notre récolte au moment voulu. Ainsi, tant que nous en avons l'occasion, faisons du bien à tous, et surtout à nos frères dans la foi ». Galates, V.6 : 7 à 10.

Qu'avons-nous semé pour récolter la colère de Dieu ? Nous renions notre terre, la terre qui nous nourrit, celle qui promet la postérité et l'abondance, celle qui donne ses ressources pour nous abriter, nous chauffer, nous protéger. Comme une évidence, nous avons cherché à la maîtriser pour servir l'argent. Le sens de la vie en a été changé, détourné de toute simplicité. Nous avons pris et détruit. Vers une domination que nous avons voulue absolue, nous foulons de nos pieds notre terre qui, quoi que nous en pensions, semble obligée de se soumettre à « comment gagner encore plus d'argent, comment faire prospérer l'économie, comment accumuler davantage de biens matériels, posséder et acquérir tout ce qui semble être une nécessité ». Peu à peu, nous avons labouré, bétonné, contrarié, construit des barrages et dévié des rivières et des mers, nous avons vu la terre comme un outil pour notre cupidité, notre avidité et pour servir notre égoïsme. La terre serait-elle aujourd'hui devenue un lieu de peine ? Pour la rendre encore plus productive, nous avons mis des engrais et des produits mortels pour l'ensemble des vivants par des pesticides et insecticides. Nous avons vu nos richesses s'accroître et nous gonfler d'orgueil.

L'artisanat n'est pas rentable car être un artisan c'est valoriser son travail ; par l'industrie, nous avons produit plus que l'artisanat, nous avons récolté dans des proportions inimaginables, pour jouer avec les marchés financiers et pour jouer avec les nerfs de nos agriculteurs et des acteurs transversaux. L'humain, ce n'est pas que le travail de l'homme, c'est avant tout son cœur et la relation qu'il entretient avec les autres. En jouant d'agressivité et de violence comme nous le vivons aujourd'hui, nous révélons une nature qui n'est pas originelle ; cette attitude nous met en confrontation et en soumission les uns envers les autres. Elle n'apporte pas de solutions pour la paix universelle ; au contraire, elle développe des ondes négatives qui forment une spirale exponentielle vers des formes de violence plus encore exprimées. Cette attitude injecte de la peur croissante et, comme la peur est un sentiment illusoire créé à partir d'une pensée-peur, elle cristallise l'inconscient collectif et donne forme à une réalité qui engendre un monde de plus en plus hostile.

Il est donc urgent de revenir à la source et d'appliquer les lois originelles pour faire obstacle ou bien reformer des pensées collectives basées sur des principes d'acceptation et de partage, de non-violence, d'actions et d'amour. Il est contre-productif de construire un monde poussif vers des pensées contre nature dans son essentiel. L'application excessive et démente d'une technologie folle favorise la folie des humains dans leurs fonctions et responsabilités sociétale et spirituelle, entraînant l'effondrement des bases rudimentaires de la création de Dieu ; c'est alors que les possibilités de choisir le camp de la conscience pure se réduisent pour laisser éclore une conscience démente et démunie de toute forme d'émotions empathiques et aimantes pour l'autre et envers soi. Ne jouons pas avec le feu, nous risquerions d'y voir l'enfer !

Après cela, comment revenir aux choses simples que mes parents, il n'y a pas si longtemps, ont vécu et témoignent encore aujourd'hui d'un temps dont ils étaient bien loin de penser de leur vivant.

Ils me racontent, non sans une certaine nostalgie, les grandes tablées rythmées des moissons et des récoltes. Ils ont le souvenir des rires et des histoires mais aussi des désaccords et des tensions familiales, des réconciliations et des pardons. Ils évoquent ce temps-là comme une bénédiction, une offrande que Dieu leur aurait faite pour les remercier de servir la terre. Si ce n'était sans doute pas parfait, malgré cela, tous s'affairaient pour les préparatifs et dans l'amour de leurs gestes, ils accueillaient la vie que la terre leur apportait. Ils s'en faisaient une joie ! Cela me rappelle certains évangiles dans le Nouveau Testament. On y retrouve aussi cette simplicité de vie et les efforts chez les hommes du temps de Jésus.

Aujourd'hui, nos enfants se sont perdus : ils ont perdu la connaissance essentielle, la pierre angulaire qui met l'homme debout. Comment ces enfants peuvent-ils vivre sans racine, sans prendre racine en la vie, sans faire connaissance avec le

Seigneur ? Comment rendre de futurs adultes et de futurs parents responsables de leurs actes ? Peut-être pensez-vous que ce n'est pas très important de savoir à quoi ressemble un grain de blé ? Pourtant, le grain de blé est la base de la farine qui produit le pain. Le pain que le Christ a partagé avec ses apôtres, en signe de communion. Ce n'est pas rien tout de même ! Le pain pour représenter le corps et l'alliance avec le Christ. Ce n'est pas rien, tout de même ! Le pain, le pain de la vie et de la vérité, issu de notre source et du commencement du Tout. Ce pain béni qui rappelle l'existence de Dieu par la présence de son fils Jésus. En se rappelant cet élément, il permet de redéfinir l'amour et le partage. Imaginons un instant que nous ayons partagé le pain avec l'homme le plus puissant jamais rencontré. Alors, comment ces enfants peuvent-ils être dans un monde, tout seuls, attachés à des illusions, à des croyances fondées sur le principe du « consumérisme » ? Une fois de plus, ce n'est pas parce que nous ne voyons pas le Seigneur qu'il n'existe pas. Son enseignement nous est à jamais gravé dans ce monde. Il doit être réappris de manière urgente pour ne pas faire de nous des êtres aseptisés et insensibles à toute expression d'amour.

Il est urgent de tourner les yeux vers le Seigneur. De remettre Noël au cœur de la célébration de la naissance du Christ et non plus au cœur de la consommation et des plaisirs humains. Qu'est-ce que c'est que ce Noël transformé par des concours de pulls les plus moches ? Mais non ! Noël n'est pas un pull moche ! Il est la venue d'un être lumineux et puissant, envoyé par son père pour nous. Rappelons cela chaque année et glorifions cet événement des plus exceptionnels. Quelle culpabilité pour les personnes les plus démunies qui ne peuvent pas satisfaire leurs familles et leurs enfants en leur offrant des cadeaux de Noël ? Quelle frustration pour les familles qui ne satisfont pas leurs enfants à coup de cadeaux coûteux et souvent inutiles, générant déforestation, exploitation d'enfants dans les pays les plus défavorisés, exploitation de ressources minières, de recettes et de bénéfices exagérés ? Qui a instauré ces règles-là si ce ne sont pas les hommes eux-mêmes. Ils ont sans doute pensé que le temps effacerait l'existence de Dieu. Ressaisissons-nous, qu'avons-nous fait de la foi ? De cette magnifique énergie qui amène notre vie au-delà des apparences, qui fait battre nos cœurs et toutes les cellules de notre corps dans la vie et dans l'éternité. Notre chemin de vie doit être associé à celui du Christ. Il ne semble pas idéalement à sa place dans ce monde si technologisé. Pourtant, Christ est la vérité. La seule vérité qui puisse maintenir l'homme dans sa dignité humaine et le faire grandir dans des niveaux de conscience au-delà de notre perception du monde. Arrêtons de penser mais agissons, maintenant, à l'heure où le monde arrête ses activités quotidiennes et répétées comme un automatisme avec la COVID-19.

Que la paix du Seigneur soit présente à chaque instant dans le cœur de chaque être, au cœur du cœur en association en Christ. Amen !

Chapitre 18
Il n'est pas nécessaire de rechercher
la gloire pour son profit...

Il n'est pas nécessaire de rechercher la gloire pour son profit. La gloire est donnée par Dieu à l'homme qu'il choisit. Nous devons faire confiance en Dieu. C'est lui qui nous apporte tout ce dont nous avons besoin. Il nous a mis exactement là où nous devons être, aux lieux et environnements prévus pour nous et pour notre évolution. À nous de l'accepter et de comprendre non pas la finalité de Dieu mais le désir de Dieu. Jésus a accepté le désir de Dieu. Il n'a pas voulu comprendre la finalité de Dieu. Il lui a fait confiance. Sans doute, Jésus a-t-il lui aussi découvert le fonctionnement humain et à défaut de comprendre, œuvré avec Dieu. C'est cela, il me semble la meilleure attitude à adopter. Celle d'œuvrer avec Dieu. Dieu qui est mon guide et le rocher sur lequel je me pose. Dieu qui est mes sens. Dieu qui chuchote à mon oreille pour me donner la meilleure direction à prendre et lui être fidèle. La gloire, ma gloire, vient de la joie. Car la joie et l'amour vont ensemble. La joie, c'est quand j'ai envie d'être et de faire, avec l'abandon à la source. La joie, c'est quand je ne suis plus aspirée par un tourbillon de doutes ; c'est quand je vois que la vie est un fleuve magnifique de merveilles et de couleurs ; c'est quand je sens que Dieu est près de moi et qu'il partage avec moi ces instants ; c'est quand je me rends compte que ma condition humaine est belle, que tout est fait à la perfection et que mon âme n'a plus qu'à exulter tout cela ; c'est quand j'adhère à ma mission que j'accepte mes tâches, mes devoirs et mon utilité sur cette terre. C'est quand je n'ai plus peur de l'autre. La joie est un état d'être. La joie c'est la venue soudaine et sans condition de l'Esprit saint dans ma vie. Elle m'emporte sans retenue. Elle me comble de tous les bienfaits du Seigneur et m'élève au sommet de la gloire ! et Dieu avec moi rit et partage ces moments et Dieu lui-même me dit d'être en joie, que dans la joie. Dieu me dit que c'est le modèle si je suis en joie !

Chapitre 19
Je suis parfois « peinée » de voir les gens perdre leur joie

Je suis parfois « peinée » de voir les gens perdre leur joie. Ils sont stressés, pressés, agités, courant partout, après leur travail, après des rendez-vous personnels ou professionnels, après l'heure de l'école, les gardes d'enfants, les enfants eux-mêmes, après un produit ou un service, après un repas ou après un bus ou un métro. Les Hommes ont perdu leur tranquillité. Ils dorment peu ou si mal. Ils vivent en apnée. Ils ne respirent plus ou si mal, ne regardent plus autour d'eux. Et quand ils s'arrêtent pour se reposer, ils concentrent leurs esprits à l'extérieur d'eux. Ils fuient leur intérieur parce qu'il y a tellement de désordre, de bruit et d'agitation qu'il n'est pas possible d'y rester un instant. La télévision et les diverses formes de médias et de technologies prennent le pas et ils continuent à s'extraire d'eux dans la croyance que les divertissements qu'ils se créent sont la source de leur repos. Quand prennent-ils le temps de converser avec Dieu ? Les Hommes ne s'entendent plus ; ils restent en surface de leur être et font des choses par habitude, par conformisme ou par contrainte.

Dieu n'existe plus pour les hommes. Dieu ne trouve plus la place en eux, si rien n'est rangé ou nettoyé.

Chapitre 20
La pauvreté devient une chose merveilleuse...

La pauvreté devient une chose merveilleuse quand on s'est libéré psychologiquement de la société. On devient pauvre intérieurement car on n'a plus rien du tout dans l'esprit, ni recherches, ni exigences, ni désirs : rien. Ce n'est que cette pauvreté intérieure, qui peut percevoir la vérité d'une vie en laquelle n'existe aucun conflit. Une telle vie est une bénédiction qu'aucune église, qu'aucun temple ne peuvent donner.

Krishnamurti

Je me disais que la richesse (de cœur) est bien ce qui nous éloigne de nos attachements et de nos désirs matériels pour gagner en espérance. L'homme a voulu remplacer la richesse (du cœur) par la pauvreté économique. En d'autres termes, nous sommes devenus une valeur marchande à laquelle l'argent représente la réussite sociale. L'argent ne fait pas le bonheur, il le déplace. Par l'argent, l'homme a mis en place de nouvelles règles pour se sentir exister, reconnu et estimé (la valeur). Par l'argent, l'homme est sous l'emprise des autres, du jugement de l'autre, et a rendu plus fort son ego. L'argent a changé l'apparence de l'homme et a enlaidi son cœur. Il a posé les jalons d'une vie artificielle basée sur des illusions matérielles définie par rien d'autre que l'orgueil.

La richesse (matérielle) n'a pas de sens et nous voyons bien que notre système est à bout de souffle. Toutes ces richesses appauvrissent la terre ; elle n'en supportera pas davantage. Nos exagérations et nos manques de respect nous entraînent un peu plus chaque jour dans la pauvreté de nos âmes. Pour vouloir nous relever, il est urgent de prendre réellement conscience du carnage que nous faisons et de comprendre que les richesses (du cœur) sont essentielles à la pérennité de notre vie sur terre. Dieu nous a offert ces richesses-là. Elles sont plus précieuses que tout l'or du monde. Ces richesses sont celles d'une vie éternelle, qui en aucun cas ne demandent un chèque ou une carte bancaire. Pour cela, l'homme doit comprendre qu'il est temps pour lui d'avoir la connaissance, de manger la Pâque pour vivre en paix.

Continuer à s'écarter de Dieu ne permet pas de comprendre ni la raison ni l'éternité de notre vie sur terre. C'est pourquoi Jésus a dit à ses disciples :

« Jésus regarda alors ses disciples et dit : heureux, vous qui êtes pauvres, car le royaume de Dieu est à vous ! Heureux, vous qui avez faim maintenant, car vous aurez de la nourriture en abondance ! Heureux, vous qui pleurez maintenant, car vous rirez ! Heureux êtes-vous si les hommes vous haïssent, s'ils vous rejettent, vous insultent et disent du mal de vous, parce que vous croyez au fils de l'homme. Réjouissez-vous quand cela arrivera et sautez de joie, car une grande récompense vous attend dans le ciel. C'est ainsi, en effet, que leurs ancêtres maltraitaient les prophètes. Mais malheur à vous qui êtes riches, car vous avez déjà eu votre bonheur ! Malheur à vous qui avez tout en abondance maintenant, car vous aurez faim ! Malheur à vous qui riez maintenant, car vous serez dans la tristesse et vous pleurerez ! Malheur à vous si tous les hommes disent du bien de vous, car c'est ainsi que leurs ancêtres agissaient avec les faux prophètes ! » Luc, verset 6 : 20 à 26.

Oui, tout cela fait sens maintenant ! Cette manière d'aborder mon être intérieur ne peut que me donner l'envie de me dépouiller, de mettre au placard ma colère et ma jalousie, mes rancunes et mes rancœurs, mes possessions et mes trop-pleins de mauvaises pensées et de mes sentiments entre les mains de Dieu, pour rendre hommage à sa création qui vit en lui, avec lui et pour lui.

Gonflés d'orgueil, nous nous sommes laissé emporter par notre zone de confort qui aurait dû nous mettre en sécurité face à tout danger. Cette zone s'effrite lorsqu'elle se trouve face à des événements exceptionnels. Elle ne représente rien d'autre que la représentation que nous lui accordons, provoquant lors d'un séisme émotionnel, une fuite en avant. La zone de confort est une zone créée par nous-mêmes fonction de notre éducation et de nos valeurs établies au fur et à mesure du parcours de vie ; nous y croyons assez fort pour penser échapper à la valeur de nos expériences et croire au contrôle que nous avons sur nos vies. Tant s'en faut, sortir de notre zone de confort libère au contraire de nos attitudes habituelles pour une meilleure prise de conscience de soi. La surprise qui en résulte permet d'apprendre la connaissance et de réagir avec l'énergie du soi. Cet absolu soi qui apporte les ingrédients de la foi, l'amour et l'espérance. Ce même soi qui me guide vers les décisions à prendre. Même conditionnés par les répétitions de notre enfance, il est salvateur d'accepter ou à défaut de vivre des impondérables dans nos vies. Cela permet aussi de mesurer la peur et d'expérimenter les différents terrains liés à la peur.

Je pense à Jésus et je me dis : « Comment, cet homme a-t-il pu endosser de telles souffrances sans se rebeller, sans se défendre, sans exprimer de la colère. Comment a-t-il pu rester fidèle à son père jusqu'à la dernière goutte de sueur ? Comment a-t-il pu pardonner avant même d'expirer ? » Je n'ai pas la réponse mais je peux penser que Jésus n'a pas adopté une attitude pour plaire à Dieu ; il est l'être le plus lumineux que nous ayons eu la chance de rencontrer dans notre humanité. Il est l'être d'amour offert au monde entier. L'amour donné sans vantardise, sans comparaison, sans force, sans compter. L'amour de soi, de soi et de son prochain. L'enseignement du Tout, incarné dans un corps humain, concentré à sa pure expression, éthéré et mis au-dessus de tous les hommes.

Chapitre 21
Notre Père qui est aux cieux...

Notre Père qui est aux cieux, que ton nom soit sanctifié, que ton règne vienne, que ta volonté soit faite sur la terre comme au ciel. Donne-nous aujourd'hui notre pain quotidien, pardonne-nous nos offenses comme nous pardonnons aussi à ceux qui nous ont offensés et nous ne laisse pas entrer en tentation mais délivre-nous du mal. Amen.

Voici la prière universelle adressée à Dieu le Père et à son fils. Elle a traversé plus de 2000 ans et fait le tour de monde. Elle a été nommée, lue et récitée des millions de fois par les croyants et non-croyants, dans de nombreuses situations de vie et d'événements mondiaux. Elle a été chantée, improvisée, modifiée mais elle est restée intacte dans sa puissance et dans sa sincérité.

Notre Père qui est aux cieux... tout vient de lui et tout a commencé par lui.

Que ton nom soit sanctifié... Ton nom est saint et pur, comme toute la création que tu as faite.

Que ton règne vienne... Ton royaume vient, le royaume des cieux, au temps voulu.

Que ta volonté soit faite sur la terre comme au ciel... il ne peut y avoir de séparation entre le ciel et la terre. En d'autres termes, ce qui a été créé dans le ciel est à l'identique sur la terre. Sa volonté fait encore chercher des savants et scientifiques qui n'ont de cesse de calculer et de quantifier pour percer le mystère de Dieu. Le tout est un tout. Dieu en est le maître d'œuvre.

Donne-nous aujourd'hui notre pain quotidien... Donne-nous aujourd'hui la vérité. Celle qui nous amène à la Pâque et qui nous fait passer des ténèbres à la lumière.

Pardonne-nous nos offenses comme nous pardonnons aussi à ceux qui nous ont offensés... Nos offenses envers toi sont pardonnées parce que nous avons si longtemps été dans les ténèbres et nous serons dans la vérité.

Et ne nous laisse pas entrer en tentation... tous les commandements transmis par Moïse, sont là, à portée de main. À nous de les respecter et de les suivre pour le bien de toute l'humanité.

Mais délivre-nous du mal. Amen... Si nous ne nous ressaisissons pas, nous resterons dans l'obscurité et nous ne pourrons continuer bien loin.

J'aime cette prière parce qu'elle est universelle. Elle réunit tous les êtres et chacun a la capacité de se l'approprier selon sa foi et ses croyances. Elle parle du « pain », des « offenses » et du « pardon ». Elle nous résume la manière dont nous agissons et ce que nous pouvons faire. Dieu ne peut que nous connaître. Je ne crois pas qu'il en soit autrement. Lorsqu'il nous a créés, il a vu en nous des êtres semblables à lui au point de ne pas douter de son amour pour lui. Il a vu des êtres purs. Nous tester n'aurait pas été de Dieu parce que nous tester aurait voulu dire qu'il n'aurait pas été sûr de sa création. Il a créé une palette de couleurs si étendue pour nous rendre « libres » de nos pensées, paroles et actions. En aurait-il fait autrement ? Aurait-il pu se rendre compte de notre indélicatesse à son égard au point de traduire la liberté par l'esclavage ? Aurait-il pu se rendre compte de nos bassesses au point d'en devenir coupable ? Sans jamais reprendre le « libre-arbitre », il a fermé les yeux sur nos actes et a compté sur notre attachement pour lui et notre bon sens pour faire de ses commandements des lois à tout jamais inscrites dans le cœur des hommes. Nous avons préféré remplacer ses lois par les nôtres, comme pour défier la vérité de la vie faite par Dieu. Maintes fois depuis la création des hommes, Dieu nous a demandé de nous ressaisir et de réparer ce que nous avions détruit sur cette planète. Nous n'avons pas compris le sens du « libre-arbitre » pour nous engager dans la voie de la perdition et de la désobéissance. Les signes, maintes fois répétés, n'ont pas permis d'ouvrir les yeux sur la grandeur et la puissance du créateur. La jeunesse de notre création a manqué à notre sage évolution et pour notre éternité, nous avons choisi les souffrances et peines quotidiennes. Nous ne comprenons pas vraiment que l'urgence de la réparation est pour tout de suite et non pour les générations à venir, qui nous en voudront d'avoir été laxistes au point de leur avoir enlevé toute espérance de vie. Les prochaines générations se sentiront encore moins capables de réparer la destruction des siècles passés. Elles seront préoccupées par leur manière de survivre, si les comportements ne changent pas, si nous ne retournons pas vers Dieu lui-même. Dieu nous a créés dans un monde fait pour l'homme et non l'homme fait pour le monde. L'homme est dans environnement pensé et conçu pour lui ; tout ce qui l'entoure a été tout spécialement créé pour lui. Imaginons rapidement la vie sans la nature, sans eau, sans le rythme des saisons, sans fruits et légumes, sans air respirable, sans neiges éternelles, sans abeilles, sans végétaux, sans minéraux, sans animaux et insectes, rien que l'homme, seul, sur une terre hostile, séparé de ses congénères et de toute forme d'affection. Arrêtons de penser que c'est pure fiction. Nous sommes les acteurs du monde depuis plusieurs siècles en moins de temps que Dieu même a mis pour le construire. L'homme nie par son orgueil et son ignorance que la terre est en devenir d'une planète asséchée par ses œuvres. C'est sûr, sa perte est proche !

C'est pourquoi, dans les écoles d'aujourd'hui, il est urgent de remettre Dieu au cœur de l'enseignement afin que les enfants sachent d'où ils viennent, ce qu'ils ont à y faire et où ils vont. Pour cela, le processus consiste à instruire vraiment les gens sur l'humanité tout entière en premier lieu, et ensuite, seulement la lecture, l'écriture et le calcul.

L'école devrait être un lieu d'accueil, assurément bienveillant pour tous les êtres en devenir de sagesse où l'accueil commencerait à partir de 5 ans. C'est d'abord la cellule familiale qui doit se réinventer par un apprentissage concret et non virtuel afin de remettre à leur place chaque membre de la famille. La responsabilité des parents, et plus précisément, le rôle du père et celui de la mère sont essentiels au sein de la cellule familiale.

Les enfants sont la continuité de l'humanité et comme tout processus bien réglé, les enfants doivent connaître à nouveau la stabilité d'un foyer. Plutôt que de parler d'éducation, la notion de chemin de vie me paraît plus appropriée. Des enfants « trimballés » dans diverses familles sont des enfants désaxés, comprenons, en manque d'une solide identité affective. Seuls des parents conscients de la force de l'amour dans leur foyer pourront réussir dans cette nouvelle organisation. Cela nécessite une nouvelle façon de penser et d'agir. Cette conscience commence avant même la décision de mettre au monde un enfant.

La seule religion possible dans ce monde est celle du cœur. C'est un principe écologique, très proche de l'intérêt que chaque être puisse porter à la terre. L'engagement devient alors plus proche d'un comportement spirituel et respectueux avec l'ensemble des éléments de la nature que d'une hérédité forcée dans un monde industriel et numérique. L'engagement englobe tous les êtres vivants (de la relation aux autres en passant par les aléas climatiques…).

Pour cela, la prière du Notre Père devrait être la base de l'apprentissage de la connaissance.

Certains y verront une instruction religieuse et un retour à tout ce qui s'est déjà fait. Il n'en est rien. Au contraire, apprendre du Seigneur qui a fait tout en abondance, de manière illimitée, nous rapprochera de cette vie-là à laquelle la plupart des hommes aspirent lorsqu'ils souhaitent la paix.

Le deuxième souffle qui intégrera le « pardon » comme source d'expression de l'amour parce que l'homme aura compris que ses erreurs sont pardonnables lorsqu'il est profondément repenti d'avoir mal agi envers Dieu. Dieu nous appelle à être des gens simples et humbles. Alors qu'attendons-nous pour l'être ?

Chapitre 22
Il y a maintenant plusieurs années
que j'observe les gens...

Il y a maintenant plusieurs années que j'observe le
fonctionnement des gens. On ne peut pas toujours les accuser
d'un manque de bonne volonté. Je pense plutôt qu'ils ne savent
pas comment s'y prendre. Ils ont pris de mauvaises habitudes.
Des âmes à l'extérieur de soi qui cherchent à l'extérieur de soi
et cherchent où ils ne trouveront pas sans intégrer réellement la
pensée que tout est à l'intérieur d'eux. Un intérieur dont ils
ignorent ce qui se passe et qu'ils ne connaissent pas ou qu'ils ne
veulent pas connaître. Emportés par leurs sentiments et leurs
émotions, par leurs préoccupations et soucis, par leurs envies et
distractions, les gens mangent et boivent, rient ou pleurent, se
déplacent ou restent sédentaires, et, de ce fait, ils ont peine à
vivre réellement la vie. Celle qui apporte le silence. Faire
silence. Être en silence. Les gens sont comme la pulpe d'un jus
de fruits qu'il faut toujours agiter si l'on veut que tout soit
mélangé. Certes mélangés, ils le sont. Mélangés dans leurs têtes,
asséchés dans leurs cœurs, fragiles dans leurs corps. Les gens
ignorent que la vie qu'on leur propose depuis la création de
l'homme n'est pas celle que Dieu souhaite que nous vivions.
Cette vie-là où il y a tant de contraintes et d'obligations limite
les possibilités de l'homme et le retour à une vie plus simple. Le
monde ne s'est jamais autant rétréci et n'a jamais été aussi
peuplé. Des moyens de déplacement à l'enseignement, du

télétravail au coworking, de la culture aux fêtes, nous vivons dans un monde ambivalent, à la fois ouvert et fermé. Et au-dessus de tout est né ce principe d'acheter et de vendre. Les gens ne se parlent plus, c'est-à-dire qu'ils ne se parlent pas intérieurement. Souvent je demande aux personnes : « Osez-vous vous questionner ? » Ils répondent que « non » ou qu'ils n'y pensent pas ou qu'ils n'en trouvent pas la nécessité ou bien qu'ils aient peur de se questionner ou bien encore qu'ils ne trouvent pas les réponses.

Prennent-ils du temps pour se recueillir, s'accueillir et se laisser aller ?

Oui, être en silence, c'est un état difficile à vivre. À défaut de prendre sa place, on essaie d'affirmer que l'on est là. Et cette affirmation bruyante enlève le regard compatissant et empathique chez l'autre et pour l'autre.

Savent-ils que Dieu les aime ? Se souviennent-ils que Dieu les aime ?

Pourtant, être aimé de Dieu ne présente aucun risque. Être aimé de Dieu éclaire tout notre être par la puissance de son Amour. Seul son Amour nous met en paix. Il nous pose. Il nous rassure ici et maintenant, dans la réalité de notre terre. Il nous accompagne dans le présent et nous aide à oublier notre passé. Voilà la raison de son amour, celle d'avancer vers lui et pour lui, celle de s'accomplir en lui pour être pleinement conscient de son œuvre et que je sois autorisée à prendre part avec lui. Il allège le poids de nos culpabilités, de nos peurs et de nos enfermements. Tant que cette rencontre n'est pas faite avec Dieu, le sens de la liberté ne peut prendre tout son sens et l'intense profondeur des commandements de Dieu ne sera pas comprise.

Chapitre 23
La vie en communauté...

La vie en communauté reflétait l'enseignement de Jésus qui était de vivre dans « la communion fraternelle, à prendre part aux repas communs et à participer aux prières. Chacun ressentait de la crainte, car Dieu accomplissait beaucoup de prodiges et de miracles par l'intermédiaire des apôtres. Tous les croyants étaient unis et partageaient entre eux tout ce qu'ils possédaient. Ils vendaient leurs propriétés et leurs biens et répartissaient l'argent ainsi obtenu entre tous, en tenant compte des besoins de chacun. Chaque jour, régulièrement, ils se réunissaient dans le temple, ils prenaient leurs repas ensemble dans leurs maisons et mangeaient leur nourriture avec joie et simplicité de cœur. Ils louaient Dieu et ils étaient estimés par tout le monde. Et le Seigneur ajoutait chaque jour à leur groupe ceux qu'ils amenaient au salut ». Actes, verset 2 : 42 à 47.

Qu'en est-il de notre communauté, de nos communautés que nous pourrions définir en tant que collectivités ?

De manière plus large, elle contribue aux aides économiques et sociales en rassemblant 28 pays de l'Union européenne. Je ne fais pas de politique, comme dit Jésus.

Il n'empêche qu'il est difficile de reproduire le modèle de la communauté prôné par Jésus (dans les actes des Apôtres). Une

56

nouvelle fois, notre système économique n'est pas tout à fait conçu pour le bénéfice de tous puisqu'il trie et catégorise les gens. Rendre le partage plus large pourrait permettre de s'intégrer dans une communauté par laquelle tous participeraient et tous en profiteraient dans une certaine mesure de richesses matérielles. Que deviendrait alors le principe des très riches ? De très riches, il ne peut y avoir dans ce fonctionnement communautaire. Et il n'y en aurait pas. Car, par principe, chacun devrait avoir sa place, sans répondre aux principes de compétition et de domination. Ce, effectivement, ne pouvant être réalisé lorsque la richesse se trouve au sommet d'une pyramide.

Aujourd'hui, tant s'en faut de constater que la défense des droits répond au toujours plus, a pris le pas sur tout ce qui est juste et simple. L'argent est devenu une finalité et non un moyen. En permettant des aides sociales au plus grand nombre, la mission communautaire s'est réduite à sa plus stricte fonction qui est d'alimenter par l'argent, sans contrepartie participative et individuelle. En d'autres termes, les aides sont devenues un droit non communautaire qui n'incite pas l'aidé à s'engager dans des actions collectives et participatives envers les autres. De ce fait, des distances sociales se créent et mettent en péril une organisation sociétale qui catégorise les gens selon leurs valeurs matérielles et déshumanise une partie de la population qui aurait intérêt à se révéler par l'utilité individuelle qui en découle.

Mettre en valeur l'argent au point d'en faire une idole affaiblit l'humanité, car la valeur de l'homme se mesure à ce qu'il est dans son cœur, dans sa conscience et par ses actes.

Plus rien n'est gratuit. Où est donc passée la bonté ? Celle qui n'a pas de prix ! La bonté et l'élan du cœur donnent un sens à notre vie.

L'argent sert les hommes, du moins c'est ce qu'ils croient. L'argent ne rend pas beau, il rend faible, parce que la croyance montre que sans l'argent, l'homme est impuissant. L'argent fait le malheur de ceux qui en ont peu parce qu'il les relègue aux catégories socioprofessionnelles inférieures à ceux qui en ont et l'argent fait le malheur de ceux qui en ont, parce qu'ils croient être les « maîtres » du monde.

L'argent devrait être utilisé pour acquérir des choses extrêmement rares afin de limiter de manière excessive l'utilisation des biens et des ressources sur la terre. Tels que nous avançons, tous les jours, nous finirons même par rendre rare une baguette de pain !

« Alors que Moïse faisait l'ascension du mont Sinaï pour y recevoir les Tables de la loi, les Hébreux, libérés de l'esclavage en Égypte, oublient les prodiges que Dieu a faits pour eux.

Ils pressent Aaron, le frère de Moïse, de leur construire une idole d'or, en fondant les pendants d'oreille, les bracelets et les colliers en or qu'ils avaient emportés avec eux. Avec l'or fondu, il construisit un veau d'or que les Hébreux adorèrent à l'imitation du taureau Apis qui était adoré en Égypte », Exode, verset 32 : 1 à 35.

Ce verset illustre combien l'esprit de l'homme est fragile lorsqu'il pense que l'argent est un moyen de sécurité et non un moyen d'échange matériel. Il mélange liberté et argent ou plus exactement, il pense que la liberté est l'argent. Alors, repenser ce que l'on doit faire de l'argent pour qu'il ne devienne pas un outil de dépravation et d'humiliation humaine. Repenser que l'argent n'est pas capital (voulant dire à la tête de). Dans ce cas, réfléchir à :

1- Protéger les ressources minières et énergétiques.

2- Repenser les moyens de déplacement (qu'ils soient terrestres ou aériens) et diminuer nos déplacements professionnels et personnels, en favorisant plus de transports en commun, en favorisant le distanciel et les moyens numériques, en regroupant les déplacements professionnels et personnels dans une même plage horaire, aider les autres en covoiturant et en reprenant les transports à 2 roues.

3- Apprendre à réfléchir sur les besoins de consommation, apprendre à maîtriser les achats compulsifs, les produits jetables et revoir la durée du cycle de vie des produits.

4- Limiter la diversité des produits vendus dans les grandes surfaces.

5- Réapprendre la valeur du besoin et non de satisfaire des besoins liés aux effets mode.

6- Moins manger, et mieux manger.

7- Instruire par la parole de Dieu au sein des familles et ramener l'amour et le partage, la simplicité et la sympathie, la sincérité et l'honnêteté dans les foyers auprès des enfants... Et même si je m'en fiche, prendre conscience de la responsabilité que chacun d'entre nous a, prendre conscience de la brièveté du passage dans ce monde et prendre conscience que se protéger c'est aussi se protéger en se rendant plus lumineux. Et même si je m'en fiche, se dire que je ne veux pas me rendre responsable d'une terre « abîmée », se dire que je veux mettre en œuvre des actions de grâce pour la terre mère, sans avoir de regrets, être tranquille avec soi ; et même si je m'en fiche, se dire que j'ai contribué à entretenir au mieux ce qui m'a été accordé sur la terre de manière sincère et voulu, en aimant les autres, même si ceux-là n'ont pas toujours été d'accord avec moi ou ne m'ont pas estimée, se dire que du moins j'ai tenté d'être ce que Dieu attendait de moi, se dire que si j'ai voulu aimer et peut-être que les autres en ont fait autant, se dire qu'ils ont voulu aimer eux aussi à leur manière, et que, aussi imparfait que cela soit, ils pouvaient aimer plus encore.

Revenir comme si je n'étais jamais partie. Revenir en mission sur la terre comme pour achever toute ma tâche et pour cela, obéir à Dieu, me soumettre à sa volonté, lui parler, apprendre à communiquer avec lui. Apprendre et comprendre, mieux qu'un doctorat. Amen !

Chapitre 24
J'ai vécu la moitié de mon temps sur Terre...

J'ai passé la moitié de mon temps sur cette planète. Je me souviens avoir été une petite fille, docile et attentive. Je craignais Dieu. Le fait de ne pas bien faire me stressait. J'avais horreur du mensonge même quand cela pouvait m'arriver de mentir, je me précipitais dans ma chambre en m'agenouillant pour demander pardon à Dieu. Malgré quelques problèmes de santé passagers, j'avais construit mon enfance dans un cadre heureux et ma plus grande question était « quelle femme allais-je devenir ? Quelle vie me réservait le Seigneur ? ». Je craignais de ne pas avoir de travail et je craignais de ne pas fonder une famille, non plus. J'étais déjà fille unique, alors... Le monde me paraissait si immense que je ne pouvais pas quitter l'endroit où j'avais toujours vécu. Tout cela me paraissait impossible. Encore moins de perdre un membre de ma famille. Pourtant, je ne m'ennuyais jamais parce que je composais et j'imaginais une vie, entourée d'animaux.

En fait, ce ne n'est pas du tout comme je l'avais imaginé. Mes relations sentimentales avaient déjà mal commencé. Ma crainte de ne fonder aucune famille semblait se dessiner au fur et à mesure du temps. J'avais construit dans mon esprit une famille idéale qui ressemblait de très près à la série télévisée « La petite maison dans la prairie ». Comme quoi, les films américains ont bien une influence sur nos comportements. J'aimais la douceur, la compréhension et le soutien que l'on ressentait dans cette série. Maintenant, avec le recul, je trouve normal d'avoir voulu rêver de ce type de famille, ma place au sein de ma famille était des plus confortables puisque je ne connaissais pas les querelles entre frères et sœurs, les rivalités, ni même les jalousies. Tout était centré sur moi. Je n'avais pas à me battre ou à lutter pour avoir quelque chose. J'aimais l'école. Même à l'école, je ne me disputais pas, je préférais divertir les autres en les faisant rire et danser. Oui, j'avais créé un petit groupe de danseurs qui me prenait toutes mes récréations et qui me donnait un tel bonheur à apprendre aux autres. Je ne m'inquiétais pas trop pour mes résultats scolaires parce que j'étais bonne élève. Ma vie était simple. Je recevais une éducation qui m'apprenait Dieu et les bienfaits de son Fils. J'allais à l'Église tous les dimanches. Je servais Dieu au mieux pendant l'office, soit en nettoyant l'église, soit en faisant la quête pendant l'office, soit en accompagnant le prêtre à lire la Parole de Dieu. Cette impression que je gardais après la sortie de la messe m'était agréable. J'étais vraiment certaine d'avoir passé un moment privilégié avec le Seigneur et qu'ensuite, nous allions nous détendre pendant le repas.

J'ai passé la moitié de mon temps sur cette planète. Malgré mon appartenance à Jésus et l'amour que j'ai toujours eu pour lui, je ne lui ai pas toujours été fidèle. Tant s'en faut, il a été plus présent pour moi que je ne l'ai été pour lui. Je reconnais avoir été très orgueilleuse et égoïste envers les autres. Je me sentais gâtée par la vie. Je crois que c'est ce que l'on ressent lorsque tout vous est accordé. On se sent à part des autres et avec même une pointe d'indifférence. Je ne voyais que mon image et la vie me réussissait assez bien matériellement parlant. Je n'avais qu'à désirer quelque chose pour l'avoir. Capricieuse, oui, reconnaissante, pas toujours. Comment ne pas l'être lorsqu'il semble que la vie vous apporte ce que vous souhaitez ? Je n'ai pas non plus hésité à jouer de subterfuges à mon avantage pour en avoir encore davantage. Ce qui a dû me rendre quelquefois malhonnête avec les autres. Vous savez comment on fait ? Il suffit de s'excuser de ne pas être honnête et le tour est joué pour avoir bonne conscience. Quelques petits mensonges pour arranger les choses et le cœur léger, je pouvais continuer ma vie, en oubliant, bien entendu, que ces petits travers pouvaient blesser les autres et créer des souffrances inutiles pour satisfaire mon ego.

J'ai continué bien souvent à fonctionner comme une enfant gâtée ; en faisant cavalier seul. Comment ai-je pu faire cela en tant qu'adulte alors que le Seigneur m'avait déjà sorti de quelques pièges ? Comment l'ai-je oublié pendant ces instants de vie ? Il m'édifiait un plan et moi, je faisais comme si de rien n'était. J'ai fait de la peine à mes proches, blessé les autres, écarté des amis, éloigné certains membres de la famille. Je n'ai pas toujours été correcte avec les miens, j'ai joué avec leurs sentiments et fait semblant avec d'autres, sans doute.

Combien de fois Jésus aurait pu m'arrêter ? Il ne l'a pas fait ; il m'a laissé pleurer, me plaindre ou gémir par l'aveuglement de mes actes et face à l'abondance que je recevais chaque jour. Il a choisi de me laisser là avec mes caprices. Sans doute, en souriait-il ou bien se désolait-il de me voir prendre les mauvaises décisions, de ne pas être juste ? Ce qui m'a valu une « sacrée assiette de solitude ». J'avais un ami, et quel ami ! Et pourtant, j'ai cherché des amis étranges et étrangers à moi, en qui je déversais mes « petites » souffrances, en qui je déclarais être plus malheureuse qu'eux. Oui, le Seigneur a continué à me faire confiance plus que je lui faisais confiance et à suivre le plan qu'il avait mis en place pour moi.

On y arrivait un peu plus chaque jour.

J'ai vécu la moitié de cette vie sans lui et ce n'est que maintenant, à peine, que je retrouve celui qui m'a envoyé. Il m'a envoyé le plan fait pour moi et les miens. Il a trié, ramené, rassemblé, pardonné et séparé aussi. Il a persisté dans sa confiance en moi. Il m'a consolée, parlée et prise par la main, dans ses bras. Il m'a dit que je ne pouvais plus marcher sans lui. Comprends-le ! Je suis et tu ne peux être sans moi ! Je m'étais égarée du seul compagnon qui m'a entièrement fait confiance, et puis je l'ai retrouvé. Et si la période est si ébranlée, Jésus est là, avec moi et avec vous. Regardez-le, attendez-le, écoutez-le, cherchez-le partout où vous pourrez le faire, avec qui que ce soit !

Et puis, le Seigneur est revenu à moi ! Plus précisément, c'est moi qui suis revenue vers le Seigneur. Je ne sais plus exactement à quel moment. Mais, j'ai une petite idée de la situation.

C'était pour mon mariage. J'avais 33 ans. J'avais tellement voulu célébrer mon mariage au sanctuaire appelé « Notre-Dame-d'Alet ». Cette chapelle qui m'avait ouvert ses bras dans tous les sacrements de mon parcours religieux. Le Seigneur en avait décidé comme cela au lieu de célébrer mon mariage proche d'une commune de Notre-Dame-d'Alet.

Avec le Seigneur, c'est précis. Le 21 septembre 2001 a marqué pour la deuxième fois, après le 11 septembre 2001, un acte terroriste. Je me mariais le 22 septembre. J'ouvris pour la première fois les yeux sur la grandeur du Seigneur et sur le fait que le Seigneur sait ce qu'il fait. Depuis mon mariage, quelque chose s'est passé. Je l'ai découvert. J'avais un mari « gentil », un travail agréable et prenant, pourtant cette famille n'était pas au complet. Elle me semblait bancale. Et ce mari « si gentil » finissait par ne pas être « si gentil » que ça.

C'était comme si ce mari-là dressait « des plans sur la comète » pour, en finalité, ne rouler que sur deux roues. Lorsqu'il s'aventurait à monter des projets dans sa tête dont il me faisait part, je ressentais au fond de mon estomac un sac de nœuds et une voix qui me disait « Non », tout cela n'est qu'illusion. Ta vie n'est pas là. Il faut que tu apprennes à voir clair en toi. Il faut que tu comprennes que ce n'est pas le plan de Dieu, mais celui que tu as cru être son plan.

Les années passaient et toujours pas d'enfants nés de ce mariage. La famille idéale de la « petite maison dans la prairie » s'évanouissait de jour en jour. Mon désir était si fort que j'ai fait, comme beaucoup de femmes en mal d'enfants, des examens et assistances médicales. Mais, au fond de moi, je savais que le Seigneur ne voulait pas que j'emprunte cette voie. Effectivement, tous les obstacles sur le chemin de la « maternité forcée » n'étaient pas ma voie. Pourtant, j'attendais fermement que Dieu me donne deux enfants. Je n'y croyais plus. Je ne voyais pas comment. Luc, verset 18 : 26 à 27 : « Ceux qui l'écoutaient dirent : "Et qui peut être sauvé ?" Jésus répondit : "Ce qui est impossible aux hommes est possible à Dieu" ».

C'est alors que l'idée de l'adoption s'est présentée à moi comme une évidence. Combien cette démarche a été rapide au vu du traditionnel parcours, me disait-on. Deux mois après avoir subi une intervention chirurgicale et en moins de temps que prévu, nous allions chercher mes deux enfants, comme cela était écrit. Ma vie, à ce moment-là, a radicalement changé.

Le 28 septembre 2010, je revenais de Colombie, dans ma main droite, la main de mon fils et dans ma main gauche, celle de ma fille.

Nous étions tous les trois à l'aéroport. La cellule familiale s'étant immédiatement constituée de trois personnes. Le papa nous avait un peu oubliés sur le parking. J'ai à ce premier instant compris que la suite de ma vie serait liée à celles de mes enfants, sans la présence du papa.

De plus en plus absent en semaine, et trois week-ends par mois, mon mariage se dégradait. Il était agité, nerveux, rempli de disputes, de conflits, de discordes, d'encaissement, de faux-semblants, de méchanceté, d'incompréhensions et de violences. Aurais-je alors pu regretter mes désirs de maternité ? Je n'avais ni l'aide familiale, ni même une aide extérieure. Les professionnels de l'enfance répétaient des théories apprises dans les livres, et je me révoltais souvent contre leur manque d'empathie et de professionnalisme. J'avais l'impression d'être mère par procuration. Cela n'a fait qu'en rajouter en plus des jugements de la belle-famille, qui attendait, impatiemment, de me voir échouer.

L'investissement dans mon rôle de mère était plus que total ce qui a fait échouer mon mariage. C'est précisément à ce moment que je découvrais « l'étrange mari » que j'avais sous mon toit. Manipulateur, ce mari-là cachait bien sa personnalité tant que les enfants ne venaient pas gêner ses pseudo-projets. Une séparation digne d'un drame psychologique qui aurait pu donner des idées à un réalisateur. Une nouvelle fois, l'avidité d'un homme est bien plus forte que l'intelligence de son cœur. Mes enfants déjà confrontés à une enfance difficile, baladés entre bidonville et orphelinat, il était de mon devoir de les protéger et de leur donner l'éducation qu'ils espéraient. L'idée même pour eux comme pour moi, plus particulièrement pour mon fils, de devoir nous séparer pour des droits de visite, nous était insupportable. Les lois humaines n'ont rien à voir avec celles de la loi divine. Luc, verset 18 : 26 à 27 : « Ceux qui l'écoutaient dirent : "Et qui peut être sauvé ?" Jésus répondit : "Ce qui est impossible aux hommes est possible à Dieu" ».

Entendus à plusieurs reprises pour non-présentation d'enfants et auditionnés par le juge aux affaires familiales, mes enfants suppliaient les juges de les laisser dans cette cellule familiale qui était devenue leur support. Mais les lois françaises sont parfois sourdes au cœur des enfants, manquant de bon sens et d'empathie. Alors que maintenant, mes enfants sont âgés de 21 et 17 ans, le « si gentil mari » continue à être absent, ne répond à aucune demande, ne montre aucun signe pour régler le divorce, ne prend pas de nouvelles des enfants.

Il en est ainsi, avec le temps, je vois bien que le Seigneur y était bien pour quelque chose dans ces difficultés. Il me menait là où je pouvais être le mieux traitée.

J'ai appris que le plus difficile, c'est de faire confiance au Seigneur. J'avais peur. Peur du regard des autres, peur que le mal prenne le dessus, peur que le mari fasse du mal à mes enfants en s'en prenne à moi, peur que l'on me retire la garde des enfants, peur que ni avocat, ni juge, ni procureur n'aient un soupçon d'empathie, peur d'être crucifiée, bafouée, condamnée. Jean, verset 5 : 28 à 29 : « Ils lui demandèrent alors : "Que devons-nous faire pour travailler aux œuvres voulues par Dieu ?" Jésus leur répondit : "L'œuvre que Dieu attend de vous, c'est que vous croyez en celui qu'il a envoyé" ».

Encore aujourd'hui, et alors que le monde est secoué par une grande crise sanitaire et économique, ma foi reste fragile aux épreuves. Il est important d'être lucide sur l'état de son âme. C'est parce que j'ai souffert de toutes ces épreuves qu'aujourd'hui, je peux être plus en paix avec mes actes et prendre les décisions qui me sont les plus justes. Endosser les responsabilités de cheffe de famille, seule, permet de développer des capacités de résistance, d'endurance, de bonne santé et surtout d'amour. C'est pourquoi les parents monoparentaux ne devraient pas démissionner face aux difficultés imposées par leurs enfants. Pour autant, je préconise qu'avant de devenir parents, on doit s'accorder un temps de préparation. Il est convenu, dans notre société, que le désir d'être mère est une fin en soi. Être mère, ce n'est pas une fin en soi, c'est être consciemment responsable de la vie de l'autre autant que l'on puisse faire ce peu, pour ne pas négliger tous les paramètres. Être mère signifie que son rôle n'est pas seulement basé sur le principe d'amour que la mère donne à ses enfants, mais sur la mesure de ses aptitudes à se battre, à défendre, à éduquer, à lutter, à comprendre, à endosser, à réprimander et à pardonner. Il est vrai de dire qu'on ne naît pas mère, on le devient. Je ne m'imaginais pas l'ampleur de la tâche. J'imaginais que tous les membres de la famille se comprendraient suffisamment pour vivre en harmonie et en paix. Il n'en était rien. Chaque membre est différent. Allez savoir pourquoi ? Ce n'est pas chose aisée que d'éduquer et d'accompagner des êtres qui grandissent et qui prennent un peu de ce qu'on leur a donné tout en cherchant à devenir des êtres uniques. Parce que c'est toute la famille qui se construit en même temps avec les enfants autour. Les enfants ont sans doute plus besoin de nourriture spirituelle et corporelle, que d'abondances matérielles. À l'inverse, l'enfant peut être amené à se perdre à l'adolescence parce qu'il se réfère seulement aux matériels et croit fermement que la vie, c'est ça.

S'imaginer des familles recomposées avec d'autres familles ne semble pas naturel. On ne vit pas dans plusieurs nids à la fois.

Cette idée paraît rétrograde et il se peut qu'elle ne puisse être comprise dans une société moderne. Pourtant, l'homme comme tout vivant doit vivre dans son environnement initial, qui lui donne la force et l'énergie pour se construire. L'un n'empêchant pas l'autre, l'homme pourra ensuite choisir de l'endroit qui lui paraît le plus approprié à sa situation. Malheureusement, l'homme aujourd'hui ne fait pas le choix libéré de vivre là où il lui semble le mieux, il vit à l'endroit où il peut se nourrir et trouver un travail pour survivre.

Projetée dans une cellule familiale qui semblait à l'opposé de mes valeurs et de mon environnement habituel, il m'est arrivé de baisser les bras, Dieu le sait. En résumé, ce « gentil » mari et ces enfants, tout grandis déjà, qui étaient perdus et qui espéraient se raccrocher à une famille. Celle qu'ils n'avaient jamais eue et qu'ils découvraient, comme moi, par ailleurs.

Je faisais et je donnais ce que je pouvais, avec ce que j'avais reçu. Je ne savais pas si j'avais reçu suffisamment ou pas mais je ressentais une immense solitude. Ce « gentil » mari, bien trop absent, érigeait un plan machiavélique pour récupérer la garde des enfants. Il avait plus d'un tour dans son sac.

Pourtant, avant d'avoir les enfants, nous nous étions promis de donner une éducation dans la joie et avec une ligne de conduite qui se tenait. Par exemple, cela commençait par ne pas abuser de la télévision trop fréquemment et passer du temps avec les enfants, au cours de voyages, proches et éloignés de chez nous. Bref, s'ouvrir au monde merveilleux avant que les enfants ne soient plus grands.

À défaut, j'ai passé plus de temps à remplir mon rôle de femme au foyer que de globe-trotter. Tout s'est calé sur les temps de scolarité, les rendez-vous médicaux, les devoirs, le sport et les divertissements, l'emploi du temps du mari et les occupations diverses et variées, avec le sentiment d'être enfermée et angoissée et la peur de ne pas y arriver, de ne pas être aimée par mes enfants.

L'apprentissage de la langue française pour ma fille a été un vrai problème ainsi que l'intégration à son nouveau mode de vie. Entre les cours de judo, le théâtre, les cours de danse et les autres activités, les orthophonistes, le ménage, les repas, le repassage, les devoirs, la comptabilité du cher mari, les petites et les grandes courses, l'entretien extérieur aussi, j'étais coincée dans une famille qui me reléguait dans un rôle « indispensable » et pas toujours gratifiant. Je ne trouvais pas l'énergie et le temps suffisant pour développer mon activité professionnelle, que j'aimais pourtant beaucoup... J'étais seule dans ce foyer. Les illusions avaient rempli ma vie quotidienne et je n'arrivais plus à communiquer. Les disputes se faisaient de plus en plus fréquentes ; ce qui nous séparait un peu plus chaque jour. Nous ne partagions plus rien. Les reproches étaient devenus constants. Nos vies avaient pris des chemins différents. Plus je me rapprochais de Dieu, plus ce « gentil » mari s'éloignait de nous. Il était là et pas là, à la fois, aux antipodes de mon moi. Mon épuisement était devenu constant.

Alors, je compensais mes doutes, mes peurs et mes manques par tout ce qui pouvait me faire rire. J'avais l'impression que ça me donnait du courage. Les enfants comptaient de plus en plus sur moi. Mais sur qui d'autres pouvaient-ils bien compter ?

La prière a été mon échappatoire. Elle me permettait de prendre du recul face à tant de blessures. Ne plus entendre que « c'était trop sucré, salé, épicé », ne plus entendre de reproches, de cris, de résistances, ne plus se sentir en proie à un homme qui n'avait plus aucun respect ni pour moi, ni pour les enfants.

Oublier les mensonges et les trahisons, oublier d'avoir vécu même jusqu'à ce mariage. Convenir d'un moment de paix intime entre Dieu et moi. Compter sur celui qui ne me trahirait jamais. Se tourner vers le seul qui ne m'impose pas, qui m'accepte avec tant d'amour et de patience. Mettre sa vie entre parenthèses des difficultés et trouver un moment pour s'échapper et se retrouver.

Malgré les choses non abouties encore aujourd'hui, et malgré, encore parfois la fragilité de ma foi, celui qui est, n'a jamais changé. Sa fidélité montre non seulement son Éternité mais aussi sa présence infinie.

Les peurs, les frayeurs, les craintes sont autant d'épreuves qui doivent nous apprendre à rester calmes lors des diverses tempêtes. Il l'avait enseigné à Marc, verset 4 : 35 à 41 : « Le soir de ce même jour, Jésus dit à ses disciples : "Passons de l'autre côté du lac." Ils quittèrent donc la foule ; les disciples emmenèrent Jésus dans la barque où il se trouvait encore. D'autres barques étaient près de lui. Et voilà qu'un vent violent se mit à souffler, les vagues se jetaient dans la barque, à tel point que, déjà, elle se remplissait d'eau. Jésus, à l'arrière du bateau, dormait, la tête appuyée sur un coussin. Ses disciples le réveillèrent alors en criant : "Maître, nous allons mourir : cela ne te fait donc rien ?" Jésus, réveillé, menaça le vent et dit à l'eau du lac : "Silence ! calme-toi !" Alors le vent tomba et il y eut un grand calme. Puis Jésus dit aux disciples : "Pourquoi avez-vous si peur ? N'avez-vous pas encore confiance ?" Mais ils éprouvèrent une grande frayeur et ils se dirent les uns aux autres : "Qui est donc cet homme, pour que même le vent et les flots lui obéissent ?" »

Marc et les autres disciples ont découvert la foi, sans doute à ce moment-là. Rien ne pouvait laisser penser qu'ils allaient se tirer d'affaire. Jésus a expliqué que la peur rend dépendants les humains des difficultés. Ce qui arrive, doit arriver... et si la tempête ne peut être évitée, la peur, elle, peut être maîtrisée afin de constater les événements extérieurs en tant que tels et non tels qu'ils sont souvent interprétés. La confiance ou la foi a donc remplacé la peur. Les yeux de Jésus sont si attentifs à cela. Il sait que les hommes sont faillibles au point de s'agiter pour de simples broutilles. Il le sait parce qu'il connaît leurs croyances au point de penser qu'ils sont seuls au monde et se sentent obligés de démêler leurs affaires, seuls. Jésus fait confiance à tel point qu'il dort et ne souhaite pas être dérangé par l'agitation extérieure. C'est ce qui nous est difficile de comprendre, ne pas être agité par ce qui se passe au-dehors.

Aujourd'hui, nous sommes si envahis par tout ce qui se passe dehors, autour de nous, dans notre quartier et dans nos villes. Cela ruine notre confiance et détériore notre foi en Dieu. Nous croyons que Dieu permet tout cela, du haut de son trône, sans intervenir dans nos vies. S'il a laissé faire par son immense Patience envers nous, il faut croire qu'il va nous rappeler que nous avons provoqué des tempêtes bien au-delà de sa permission. Nos agitations se sont répercutées sur les autres et sur le monde en général. Nous pleurons sur nos agissements et en voulons à Dieu, lui-même, si nous croyons un tant soit peu encore à Dieu. Et quand nous craindrons de mourir, appellerons-nous Dieu à notre secours et lui demanderons-nous alors si ça ne lui fait rien de nous voir comme cela ? Oh que oui qu'il les aime ! Il ne les a pas abandonnés. Pour autant, Jésus aurait aimé qu'ils vivent leur foi, au lieu d'être réveillés pour les sauver.

Le mystère de la foi. Cette alliée pour relever nos épreuves, la réconciliation avec l'Esprit saint et le lâcher-prise.

Et nous, comment agissons-nous face aux tempêtes de la vie ? Sommes-nous comme Jésus, dormant paisiblement pendant que les éléments s'agitent autour de nous ou bien comme les disciples, tellement apeurés, qu'ils ne savent plus quoi faire ? Savons-nous appeler l'Esprit saint et comment lâchons-nous prise ? Ou bien nous attachons-nous aux circonstances au gré de la vie ?

Serions-nous plutôt à nous demander : « Pourquoi moi ? Qu'est-ce que j'ai fait pour mériter cela ? » Nous ne croyons pas ce qu'il nous arrive. Pourquoi ? Parce que nous ne sommes pas préparés à affronter la tempête. Nous avons imaginé nos vies en oubliant que les imprévus sont soudains, pris de panique jusqu'à perdre notre sang-froid. Qu'ai-je appris de plus que les disciples du temps de Jésus ? Combien encore faudra-t-il éprouver la Foi ? Quand verrai-je la vie comme une alliance avec Dieu plutôt que comme un danger permanent dans ce monde ? Comment puis-je, même, avoir la pensée que Dieu nous aurait projetés dans un monde empli de dangers pour savoir comment on s'en sort ? Et même si la vie est loin d'être un long fleuve tranquille, elle est la création de Dieu, qui a mis chaque chose à sa place et dans son rôle. Les interventions multiples des hommes n'ont fait que dévier ce rôle, essentiel à la nature et aux bienfaits de l'homme lui-même. Aujourd'hui, s'intéresser à son corps est devenu une priorité aux dépens de l'écoute, l'observation et la parole avec les autres et avec soi-même. L'homme a fui son cœur et de ce fait, a oublié qu'il est là pour glorifier Dieu.

Dans ma petite histoire de mariage, j'ai été enseignée par tout cela. Et chaque jour, le Seigneur m'a accordé le temps d'apprendre et d'essayer. Il m'a mise à l'épreuve face à mes émotions, et poussée à les comprendre. Il m'a enseigné à tenir bon pendant la tempête afin d'éviter le danger. Il me guide chaque jour de ma vie. Sans son aide et sa compassion, je serais une âme perdue dans l'océan de ce monde.

Chapitre 25
Mon cœur s'est bien souvent serré...

Mon cœur s'est bien souvent serré face aux blessures des gens. Mon cœur s'est serré quand j'ai pris conscience que mon mariage n'avait plus d'autre issue que celle de la séparation. Je touchais du bout des doigts ma culpabilité quand j'ai compris que ma promesse faite au Seigneur me semblait être rompue. J'ai choisi la honte plutôt que le pardon pour ne pas avoir réussi à tenir mon rôle d'épouse. Et puis, mes pensées ont changé en réalisant que tous ses sacrifices avaient été vains. Mon âme alors avait l'impression de se mourir. Ce n'est pas en soi la vie à deux qui me dérangeait, c'était le manque de communication qui s'y était installé. Je me sentais rejetée. Cela me donnait un sentiment d'insécurité, de tristesse et de solitude. J'avais fait fausse route et je le payais cher.

C'est précisément à ce moment-là que j'ai vraiment tourné les yeux vers Dieu. Et c'est comme si je l'entendais me dire de patienter, qu'au lieu d'être dans la tristesse, je devais au contraire être en joie. La joie de le retrouver, lui. La joie de reprendre contact avec lui. La joie de le voir à l'œuvre, se manifester dans ma vie, comme cela devait se passer et non comme j'aurais voulu que cela se passe. La même âme qui ne se sentait pas bien auprès de l'autre âme. La même âme qui se sentait en danger d'abandon et de mépris.

Pour les enfants, je disais à Dieu que je serais capable de tenir bon. Je ne voulais pas qu'une nouvelle fois, ils revivent le sentiment d'abandon. Je voulais assumer, voire réparer. Mais Dieu en a voulu autrement. Lui savait ce qu'il faisait. Lui, seul, connaissait mon avenir et celui de mes enfants. Il m'a demandé de lui faire confiance. De lui remettre entre ses mains toutes mes peines et mes souffrances, mes doutes et mes espérances. D'être prête à voir. D'être prête à réveiller tout ce qui constitue la profondeur de mon âme et de mon cœur. Je n'avais d'autres choix que de faire confiance et j'ai lâché. Un événement fort de ma vie à prouver que j'avais bien raison de lui faire confiance. Cette douloureuse et pénible expérience m'a montré que Dieu est bien là dans les situations de la vie les plus périlleuses. De joie, et pour la première fois de ma vie, j'ai pleuré de joie lorsque les choses se sont dénouées. Les mots de cette personne étaient ceux que Dieu me disait. Ils me rassuraient. Il fallait comprendre que la justice du cœur était bien plus élevée que la justice humaine aux yeux de Dieu. Je n'avais pas expliqué grand-chose pourtant. Mais Dieu savait tout sur ce que je ressentais à cet instant-là. Il m'avait fait partager ce moment pour l'éternité. Il avait voulu que je voie ses merveilles comme pour me dire : « Tu crois maintenant en moi ? »

« Je suis le chemin, la vérité et la vie », répond Jésus. Seuls ceux qui l'acceptent, lui et ses enseignements, et qui suivent son exemple seront accueillis dans la « maison de [son] père », au ciel. Jésus ajoute : « Personne ne peut aller vers le père si ce n'est par moi » Jean, verset 14 : 6.

Comment ne pas devenir une femme amoureuse de Jésus, aimante de Dieu, convaincue par son amour éternel ? Comment ne pas être convaincue par lui alors que rien ne lui échappe dans tout l'être que je suis ? Son souffle me donne la vie et me tient en vie.

Je suis devenue cette femme, empreinte des signes de Dieu, curieuse et avide de questions et parfois en doute et pourtant si fortifiée par sa présence.

Mais ne vous y trompez pas, les problèmes de la vie et ses difficultés sont là, comme en tout un chacun. Cela étant, la croyance d'être épaulée par lui sur le chemin de la vie, allège mes obstacles, trouve des solutions et apprend à marcher droit, digne comme l'homme qu'il a créé. Jésus lui-même a connu ces difficultés. Il n'a pas été épargné par les sentiments des hommes. Néanmoins, Jésus n'a pas détourné les yeux de son Père. Il a obéi jusqu'à son dernier souffle. Il a obéi parce qu'il savait que lui rester fidèle ne pourrait que l'amener vers lui. Il a obéi justement parce qu'il connaissait le cœur des hommes.

Pendant que Jésus était à Jérusalem, au moment de la fête de Pâque, beaucoup crurent en lui en voyant les signes miraculeux qu'il faisait.

Mais Jésus n'avait pas confiance en eux, parce qu'il les connaissait tous très bien. Il n'avait pas besoin qu'on le renseigne sur qui que ce soit, car il savait lui-même ce qu'il y a dans le cœur humain, Jean, verset 2 : 23 à 25.

Pourquoi serions-nous épargnés ? C'est la foi qui change la manière de regarder la vie et de regarder nos problématiques.

Chapitre 26
Changement de comportement

« Ou bien méprises-tu la grande bonté de Dieu, sa patience et sa générosité ? Ne sais-tu pas que la bonté de Dieu doit t'amener à changer de comportement ? Mais tu ne veux pas comprendre, tu n'es pas disposé à changer. C'est pourquoi tu attires sur toi une punition encore plus grande pour le jour où Dieu manifestera sa colère et son juste jugement et où il traitera chacun selon ce qu'il aura fait. » Romains, verset 1 : 4 à 5

J'ai parfois l'impression d'avoir débarqué ici, comme ça, en prenant le train en marche. Je me dis que dès notre naissance, nous avons appris à nous adapter au mode de vie, à respecter les traditions et à les reproduire. Il ne pouvait en être autrement. Si les parents ont vécu comme cela, la voie est tracée. Est-ce qu'il nous est toujours demandé de comprendre ? Que faudrait-il comprendre dans l'absolu puisque là où nous nous trouvons conditionne notre manière de vivre, de penser et d'agir.

Pour ma part, c'est dès que j'ai quitté le domicile de mes parents, que j'ai commencé à me questionner.

L'éloignement de mes parents et le rapprochement des autres, étrangers à ma vie, ont certainement influencé ce que je suis devenue aujourd'hui. Déjà à cette période-là, mon esprit était tourné vers le Seigneur, plus en toile de fond que de manière plus directe avec lui.

J'ai vite compris que la vie en société n'était ni plus ni moins que la vie en société.

C'était sans compter les relations très superficielles avec les autres, qui portaient tous un masque pour éviter de construire de vraies relations.

Je découvrais par là même l'hypocrisie, que je n'avais pas encore totalement associée à du mensonge. J'en étais encore à dissocier dissimulation et mensonge. Ce qui n'a pas simplifié les relations aux autres, vu mon tempérament plutôt franc.

Autant faire comme tout le monde pour avoir des amis. Ce qui m'a encore plus éloignée de moi-même ; je m'y suis perdue. À trop vouloir valoriser son image, on s'y perd. À trop vouloir se faire aimer par les autres, on n'est plus soi-même.

Cette manière qu'ont les gens de paraître dans le monde, c'est stupéfiant.

Les effets « mode » et rassemblements « in » dénotent l'amitié en toute impunité. Celui qui était mon ami hier devient aujourd'hui un pur inconnu. D'amitiés en inimitiés, de relations amoureuses en ruptures, de rencontres en croisements, où est passée la sincérité ? Je voulais croire à son existence.

Mais, je n'avais toujours pas trouvé ce que c'était parce que je n'avais toujours pas compris ; je n'avais toujours pas compris parce que je ne savais pas ; je ne savais pas parce que je n'étais pas instruite ; je n'étais pas instruite parce que je n'avais pas rencontré l'enseignant pour cette instruction ; je n'avais pas trouvé l'enseignant parce que je le cherchais autour de moi ; je le cherchais autour de moi parce que je croyais que l'enseignant était humain et plus élevé que moi ; je croyais que ce devait être un humain parce que je ne connaissais pas les hommes ; je ne connaissais pas la nature des hommes parce que je n'avais pas confiance en soi ; je n'avais pas confiance en soi ; parce que je ne connaissais pas la foi ; je ne connaissais pas la foi parce que je m'étais éloignée de Dieu ; je m'étais éloignée de Dieu parce que je me sentais éternellement humaine ; je me sentais éternellement humaine parce que j'étais inexpérimentée ; j'étais inexpérimentée parce que j'étais égoïste ; j'étais égoïste parce que je ne savais pas ce qu'était le partage ; je ne savais pas ce qu'était le partage parce que je croyais être seule au monde ; j'étais seule au monde parce que personne ne m'avait appris que les autres étaient aussi importants que moi ; dès que j'ai compris que mes problèmes n'étaient pas plus importants que les problèmes des autres, j'ai commencé le chemin de la raison de mon existence sur terre, j'ai voulu comprendre ma présence sur cette terre, déjà bien affaiblie par la folie des hommes ainsi que la raison de mon passage à ce moment-là, à cet endroit-là très précisément. Malgré tout, mon entêtement a été plus fort que la connaissance, et le temps est passé pour admettre que les réponses se trouvent à l'intérieur de soi et non à l'extérieur.

Avant mon mariage, je rêvais déjà de Jésus. Âgée de 33 ans, je me mariais. Ce n'était pas banal. Dieu manifestait sa volonté en moi puisque c'est encore lui qui a choisi l'endroit et la date du mariage. C'est tout endormie que je me présentais devant l'autel à l'Église. Je dis endormie, parce que savez-vous que nous sommes souvent endormis et que nous avons l'impression d'être réveillés ? J'étais donc endormie et le réveil a été brutal dès lors que je me suis rendu compte de mon erreur. Tout s'est fait comme il le voulait. Je n'avais pas non plus fait la relation entre l'âge de mon mariage avec celle de la crucifixion du Seigneur. J'ai remarqué que dans les situations de ma vie pour lesquelles je pensais avoir des obstacles, Dieu m'avait comme endormie pour m'amener sur un chemin plus adapté à mon âme et ensuite, si je le désirais, je pouvais me réveiller. Est-ce que cela vous fait aussi cet effet-là ? Il me manquait si souvent. Je ne vivais pas, je dormais. Je pensais à mes désirs personnels et à mon confort. Il me manquait si souvent quand je me disputais avec mon mari, quand je ne savais pas gérer les problèmes. Comment sait-on que Dieu nous manque ? Je crois bien que c'est quand on ressent de la souffrance. Quand les insatisfactions et les frustrations se manifestent. Quand les émotions et les sentiments qui en découlent donnent l'impression qu'on va mourir. Quand on subit plutôt que d'agir. Quand on voit que tout paraît obscur et que les choses ne risquent pas de s'arranger. Quand, la solitude est plus forte que l'amour de soi et pour les autres. Quand l'ennui se fait sentir et qu'on a froid. Quand tout cela entre dans le corps et le maltraite. Quand le dos fait mal, quand les reins obligent à s'asseoir, quand la poitrine se serre et quand la sueur perle sur le front et le long de la colonne vertébrale. Enfin quand la peur est de plus en plus présente. Là, tout indique que Dieu nous manque.

Ainsi, il est urgent de revenir pour ne pas se perdre en chemin. Comment faire pour revenir vers lui ? Simplement, parce que Dieu aime les choses simples, les gens simples, les esprits sains et sincères.

Alors, lui parler et même s'il sait déjà tout ce qu'on lui dira. Lui demander pardon. Lui demander pardon pour l'avoir si longtemps abandonné et lui avoir montré une image si malheureuse de soi. Lui avoir reproché de nous avoir créés et de nous avoir laissés là, comme ignorés en tant qu'humains.

Chapitre 27
La trahison est comme un poison

La trahison est comme un poison qui dit : « Je t'aime, moi non plus... ». Avant la trahison, il y a eu forcément l'amour. À mon avis, on ne trahit que ceux qu'on a aimés, appréciés, estimés. J'en ai souvent fait l'expérience et vous ? Pour moi, cela commence dès l'enfance. On fait confiance aux adultes et puis on se rend compte qu'ils trahissent. Puis, à l'âge adulte, on reproduit ce qu'on a vécu. Des amis au point de penser qu'ils sont comme vous. Des amis que l'on voit comme des gens honnêtes. Et puis l'âge des amours est là. Un amour qu'on croit vrai et éternel. Un amour qui ne passera pas. Un amour qu'on croit éternel, qui devient éphémère en un claquement de doigts. On aimerait l'expliquer. Mais la trahison ne s'explique pas. Elle répond au comportement de celui qui trahit. Puis d'autres amours viennent en espérant que ceux-là ne seront pas comme les autres. Et on fait confiance à nouveau. Pourquoi ? Parce que cette personne n'est pas l'autre. Dommage ! Cette personne n'est pas l'autre, certes, mais en tout cas, elle n'est pas assez instruite pour se comporter avec intégrité. Sous couvert de banalités sur les femmes ceci, les femmes cela, ou les hommes sont comme-ci ou comme cela, les tromperies et les trahisons perdurent au sein des couples. Comment alors croiser celui ou celle qui a la connaissance de la réelle complémentarité entre l'homme et la femme ? Dans notre ère, les genres ont perdu leurs repères : l'homme apporte (l'énergie) alors que la femme dépense (l'énergie). Il faut comprendre alors le mouvement d'intégration et de désintégration au sein du couple. C'est alors que nous pourrons parler de la véritable âme sœur.

Ici, nous percevons le mariage comme un aboutissement familial. Il n'y a qu'à voir la complexité et la difficulté des divorces pour se rendre compte que le mariage est une action matérielle et non spirituelle. Cette alliance n'est pas fondée sur de bonnes bases spirituelles. Elle répond aux articles du Code civil qui ont fini toute relation entre les époux. Surtout ne pas parler d'amour au Tribunal. Comment en parler ? Des juges obéissant aux lois humaines, amplificateurs de souffrances personnelles, destructeurs de famille, au nom de lois contraires à la création humaine.

Donc le mariage est un acte fait de mensonges. On se dit que ce couple-là ne peut ni mentir, ni cacher, ni trahir. Et pourtant, c'est après quelque temps, si le temps a une influence à ce niveau-là que le mariage ne perdure plus mais perd de sa consistance. Le mariage est un acte subtil, résultant d'un mélange de ses émotions propres avec celles de l'autre, infligeant des compromis et concessions obligeant « à tenir le coup » en nombre d'années et non en qualité d'accompagnement. On demande aux couples depuis combien de temps ils sont ensemble ou s'ils s'aiment véritablement. Combien sont-ils à en avoir fini au bout de 40 ou 50 ans ? N'aurait-il pas mieux fallu se séparer avant de réaliser l'échec du couple ? Qu'ont-ils partagé en réalité ? La croyance que la vie de couple allait s'arranger, avec le temps ! Encore une question de temps ! Le temps ne joue ni en notre faveur ni en notre défaveur. Il n'est même pas là. Il passe si on pense que le temps passe, sinon, qu'en est-il au juste ?

Alors que l'humain considère qu'il n'a pas le temps, il a décidé de découper le temps en structures temporelles qui ne cessent de l'amener dans l'anxiété d'un temps trop court pour lui. Il s'en punit pour cette cause-là et s'en punit encore quand il se dépêche de profiter des instants éphémères. Le mariage accélérerait le temps... les enfants en seraient les fruits... les enfants seraient alors le temps du couple. Les enfants ne rattrapent pas le temps, ils apportent la joie et la peine aussi, parce que les enfants veulent, eux, grandir rapidement. Ils grandissent vite... laissant leurs parents dans l'illusion d'un temps toujours étirable.

Mon couple a vécu ses derniers instants dès l'arrivée de mes enfants. Les priorités avaient changé et avec, les reproches sont apparus. Tout était devenu lourd et fatigant, pénible. Les cris avaient remplacé les dialogues. La haine avait remplacé l'amour. La cohabitation avait remplacé le mariage. Les pleurs avaient remplacé les rires. La souffrance avait remplacé la paix. Les violences avaient remplacé les caresses.

Mes enfants avaient accaparé toute mon énergie. J'étais en colère. Mon cœur était en colère. Pourtant, je ne désespérais pas que Dieu s'occupât de moi et de mes enfants. Il s'est occupé de moi. Vraiment. Au moment où il le fallait, rapidement, les choses ont semblé se définir. De toute évidence, nous n'avions plus rien à faire ensemble.

Une fois de plus, j'ai accepté et je faisais « bonne figure » pour mes enfants et ma famille. À défaut d'excuser, j'expliquais que le « pauvre mari » travaillait beaucoup et avait besoin de repos. En fait, naïve ai-je été pour ne pas m'apercevoir que ce « gentil mari » passait du temps à bavarder au téléphone avec une autre femme. Cela faisait plus de dix ans que nous vivions ensemble. Pour moi, le temps était une preuve de la pérennité de notre couple. En fait, le temps ne compte pas. Il peut parfois séparer bien plus que rapprocher. Le temps n'avait rien à voir là-dedans ; ce sont les situations de la vie qui nous ont séparés. L'entrée dans notre famille des enfants a bouleversé totalement notre vie bien plus confortable qu'aimante. Car le ver était dans la pomme depuis bien longtemps. Nous ne faisions peut-être pas semblant, mais avec le recul, je pense que nous n'étions pas totalement nous, individuellement dans ce couple. Chacun revêtait une image pour plaire à l'autre. Je le sentais de mon côté. En effet, j'étais souvent en colère parce que je trouvais que nos échanges n'avaient plus de sens. Nos échanges étaient plus égotiques qu'amoureux. Ils étaient plus basés sur l'intellectuel que sur le cœur. Alors, cela peut être agréable lorsqu'on discute avec un ami, mais il devient un frein dans un couple. Je passais mon temps à faire thérapie, à trouver des solutions à nos problèmes. J'avais l'impression d'être remerciée comme on remercie un professionnel. Cette manière de vivre est devenue une habitude et plus j'avançais, plus je m'y perdais... dans ce mariage. Je ne pouvais plus rien dire. Oui, le ver était dans la pomme. Des incompréhensions totales et blessantes. Tous les jours étaient un déferlement de vexations, de frustrations et de blessures. Je me disais que j'avais attendu tout ce temps pour me marier et que mon attente n'avait pas été à la hauteur de mes désirs. Je passais pour une épouse acariâtre, méchante et dure avec les enfants et avec lui. Il se faisait passer pour une victime aux yeux des autres. En société, il se faisait passer pour un « gentil mari » aidant au repas et au service, et ne se gênait pas pour le faire remarquer. Je me taisais et je continuais de faire bonne figure devant les autres, certaine que les autres ne me croiraient pas. Pourquoi ? Parce que sa notoriété professionnelle le couvrait. Je n'étais que l'épouse de ce « gentil mari » et femme au foyer. Pourtant, je travaillais depuis l'âge de 20 ans et ces dernières années en profession libérale, mais il faisait en sorte qu'on ne me voit pas, qu'on ne me remarque pas.

Oui, la trahison est un comme un poison. Un poison que l'on injecte chaque jour, à petite dose. Quand cela va mieux, on vous en ressert. Vous ne vous apercevez de rien. C'est quand vous êtes à bout de souffle que la trahison vous saute au visage. Est-ce qu'on s'en remet ? Oui, on s'en remet. Comment ? En pardonnant, sûrement pas ! On ne pardonne pas une trahison. Seul Jésus peut le faire. Alors, j'ai décidé de remettre les trahisons dans les mains du Seigneur. Qui d'autre que lui peut comprendre ce que c'est que d'être trahi ? Judas l'avait suivi pendant trois années, le mettant en valeur, le présentant comme le plus grand, cela ne l'a pas empêché de le tromper, de le déshonorer aux yeux du monde. Pourtant, je ne doute pas un instant que Judas n'ait pas aimé Jésus. Il l'a aimé comme on aime quelqu'un qui vous enseigne, qui vous conseille, qui vous aide, qui vous donne son amour. Il l'a aimé. Pas au-delà de l'argent, pas au-delà de ses capacités à aimer. Judas s'aimait lui-même avant tout, malgré les apparences, malgré l'image qu'il donnait en société. Jésus n'était pas dupe. Il le connaissait mieux qu'il ne se connaissait lui-même.

Judas aurait juré de ne jamais faillir à Jésus ? Le mariage est ce pacte passé qui dit que je ne trahirai pas parce que tu es moi et je suis toi. Avions-nous juré implicitement de ne jamais faillir à la tromperie et au mensonge ? Oui, nous l'avons fait, de fait.

En conséquence, j'ai trahi de mon côté Jésus. Je l'ai trahi en parole, en action et omission. Je l'ai trahi par obligation. Je l'ai trahi parce que je ne pouvais plus vivre ce mariage. Je l'ai trahi en renonçant. Je l'ai trahi par mon impuissance. Je l'ai trahi en faisant semblant. Je l'ai trahi contre les aspirations de mon âme, contre la volonté de mon esprit. Jésus a toujours voulu que je sois heureuse. Comment en être autrement ? Comment imaginer que Jésus attend de nous des souffrances, des peines et des douleurs ? Il veut que nous apprenions tout cela. En revanche, si notre apprentissage passe par nos souffrances et nos douleurs, elles servent à trouver notre joie. Jésus a connu tous ces aspects-là. Jésus est désolé pour moi. Comment imaginer qu'il ne puisse l'être ?

Par la trahison, Jésus a été glorifié. Par la trahison, Judas s'est rendu coupable. On n'en retire rien ni de beau ni de bon de la trahison. Le poison s'est retourné contre le traître. Le traître n'a pas estimé la dose de poison qu'il allait ingurgiter. Le traître n'a vu que la furtivité de son geste. Il n'a pas vu les conséquences néfastes sur son être. En voulant satisfaire son désir, Judas a tué son être. Trop tard, Judas a compris son geste. Trop tard, Judas a compris que l'amour du Seigneur valait bien plus que 30 sous… Trop tard, Judas comprend que sa vie était auprès du Seigneur et que son geste ne méritait aucun prix. Trop tard, Judas comprend qu'il est seul face à son geste et que celui-ci n'intéresse personne d'autre que lui-même, qu'il a été mandaté par des gens sans foi ni loi, qu'ils ne le conforteront pas et pire encore qu'ils l'abandonnent face à lui. Ils s'en lavent les mains. Ils ont fait faire la sale besogne à Judas. Ils ont joué avec sa faiblesse. Ils ont complimenté Judas pour son acte.

Chapitre 28
Par la croix...

Par la croix douloureuse, Jésus a aimé de tout son cœur, de toute son âme. Il s'est donné à son père ; il s'est donné aux hommes. Esprit au-dessus de tous les esprits, il a révélé sa grandeur aux yeux des hommes et son humble être aux yeux de son Père.

Depuis sa résurrection « ... Il est revenu d'entre les morts et il va maintenant vous attendre en Galilée ; c'est là que vous le verrez... » Matthieu, verset 27 : 6. Jésus est toujours là, présent depuis le début, dans le présent et pour l'éternité. Il a fait de nous ses disciples. Il a fait de nous ses porte-parole. Il a fait de nous ses fidèles, à toujours et à jamais alliés en lui. Ses enseignements sont pour toujours la vérité. Il ne sert à rien de les modifier ou de les changer. Son enseignement vient de son Père et qui connaît mieux que le créateur le fonctionnement de sa Création ? Il ne sert à rien de s'en éloigner, son enseignement rattrapera toujours l'homme. Son enseignement est réel, factuel et indélébile dans le temps. « ... Je m'exprimerai par des paraboles, j'annoncerai des choses tenues secrètes depuis la création du monde. » Matthieu, verset 13 : 34.

Par la croix lumineuse, Jésus s'est élevé au-dessus de nous, au-dessus de la terre, au-dessus de l'univers. Le père l'a élevé au-dessus de toute chose et tout être. Il en avait promis la gloire éternelle. Il a tenu promesse. Et les cieux sont devenus plus que jamais lumineux et purs, plein de chants de tendresse et d'amour. Et la terre a vu des hommes tristes et appauvris par leur incrédulité, par leur ignorance et par leur aveuglement. Depuis, les hommes doutent.

Les hommes ont peur. Peur que la vie leur soit retirée. Peur que la nature leur soit retirée ; alors, comme pour dire que c'est l'homme qui est le maître de la nature, l'homme s'en accapare et l'exploite au-delà de ses ressources, au-delà de ses moyens et pleurent de son ingérence face à la nature, pleurent de ses méfaits, pleurent pour ses propres faiblesses.

La Pâque est le moment de la résurrection de toute vie. Un passage d'une vie vers une autre. Un hommage à l'espoir et à l'espérance vers une vie saine et abondante. Un refleurissement à une terre prête à laisser encore une fois, une chance à l'homme, lui laisser le temps de comprendre et d'apprendre. Les mystères ne sont pas que dans la Foi ; ils sont aussi dans la nature. Dame Nature qui tient ses secrets aussi précieusement que Dieu conserve les mystères de la création. L'homme n'a qu'à s'habituer au lieu d'essayer de se surpasser. L'homme n'a qu'à observer au lieu de convaincre. Dieu n'a pas besoin d'être convaincu. Il a toutes les clés des mondes. Ses créations ne sont pas le fruit du hasard, elles sont les enfants de Dieu, du plus petit au plus grand, du visible à l'invisible, d'un temps donné à l'infini. Dieu est et reste intemporel. Il le rappelle inconditionnellement dans notre vie et dans celle des autres, dans les événements associés à notre personnel et à notre collectif, dans nos détails de vie aux événements les plus exaltés. Dieu est partout et en tout, dans un monde avec ou sans jugement humain.

Alléluia pour ta résurrection de la vie pour ton immense gloire.

Chapitre 29
L'obscurité versus la lumière

Le temps est venu de prier. Le temps est venu de se convertir et de tourner les yeux et le cœur vers le Seigneur. Il est la lumière et l'amour. Il est la réponse à tous nos maux, nos incertitudes et nos épreuves. Il est parmi nous, prêt à nous écouter, à nous accueillir, les bras tendus vers nous, le cœur ouvert à nos sollicitudes, à nos peines et à nos reconversions. Il nous dit de tenir bon, de faire le tri sur les informations concernant les épidémies, sur la politique et sur l'économie. Il nous dit de tenir bon et de ne pas craindre. Il est là comme il l'a toujours été depuis toujours, avant que nous ne naissions, avant notre voyage sur terre.

Serons-nous, sommes-nous prêts à affronter la grande période ? Celle où le mal s'extraira et connaîtra sa déchéance, serons-nous prêts à faire face à cela ?

Chapitre 30
Ils marchaient pieds nus...

J'ai fait un rêve. Ils marchaient pieds nus sur la terre sèche et poussiéreuse. Le bas de leur robe flottait sur les chevilles. Ils avançaient d'un pas sûr et posé, sous la chaleur de la mi-journée. Je faisais partie du groupe. J'entendais discuter, avec leurs voix graves, sans emportement, calmement et presque joyeusement. Il semblait prendre une grande décision. Une décision sur l'avenir des hommes actuels. J'ai entendu mais je n'ai pu écouter ce qui se disait vraiment. Je faisais partie de ce groupe. Je sais, à sa voix, que Jésus était là. Mon cœur battait fort en sachant que Jésus était si proche de moi. Je ne le voyais pas directement, mais je l'entendais. Il avait cette voix grave et ferme pour donner une direction, et comme pour donner un ordre. Il disait que le temps ne se divisait pas. Que le temps où il parlait était le même que celui que les hommes de ce temps vivaient. Il disait que les hommes ont besoin d'être enseignés, très rapidement. Ils ont besoin de la lumière pour trouver leur chemin. Ils sont dans l'obscurité et l'obscurité les envahit, chaque jour un peu plus. Ils n'entendent pas. Ils ne voient pas. Ils croient vivre dans un monde fait pour eux, alors que ce sont les hommes qui l'ont façonné selon leurs propres désirs. Ils ne peuvent pas, finalement, s'adapter à ce monde parce que ce monde est trop plein de désirs des hommes et fait de corruption.

Ils y ont ôté une valeur essentielle, celle du cœur. Ils ont laissé l'obscurité entrer dans ce monde. Jésus rappelle qu'il a besoin de ressources et d'énergie pour enseigner. Ce temps ou un autre n'est que pure projection. L'enseignement du Christ est à tout jamais immuable. C'est pourquoi le temps n'a pas d'importance. Ce qui compte, c'est la prise de conscience. La prise de conscience ne peut être éclairée que par le rétablissement de la connaissance. Les hommes n'ont fait que changer d'apparence ; leur esprit est resté si fermé. De bourreaux à victimes, ils entretiennent leurs sentiments de culpabilité, de peur et de haine. Ils sont encore sous le joug de Ponce Pilate et d'Hérode.

Sa voix, comme un bien être de paix et d'amour, amplifiée par la chaleur du soleil et la magnificence de la lumière. Rien d'autre autour de moi, juste là, au bon moment avec les bonnes personnes. Je ne saurai dire si les apôtres ou amis de Jésus étaient là aussi ? Je n'ai aperçu que quelques pieds.

Plus que jamais, cette période confinée m'a apporté d'autres visions, d'autres manières de communiquer et a renforcé ma rencontre avec Jésus, ce rayonnant Jésus.

« … Bien plus, nous nous réjouissons (lire avoir de la joie) même dans nos détresses, car nous savons que la détresse produit la patience, la patience produit la résistance à l'épreuve et la résistance, l'espérance. Cette espérance ne nous déçoit pas, car Dieu a répandu son amour dans nos cœurs par le Saint-Esprit qu'il nous a donné. » Romains, verset 5 : 2 à 5

Il est essentiel de se retirer des mains de ceux qui essaient de nous tenir en servitude. Nos temps connaissent des abus de pouvoir et appuyés par des institutions et des organisations mondiales. Il est grand temps de nous libérer si nous voulons demeurer des humains revenant vers Dieu.

Chapitre 31
Le vent souffle sur l'arbre

Le vent souffle sur les feuilles de l'arbre. Et quand le vent souffle sur les feuilles, il souffle sur l'arbre tout entier. C'est comme cela que Dieu manifeste sa création. Il souffle sur sa création tout entière. Il n'oublie pas un instant tous les détails. Il souffle sur la femme. Il souffle sur l'homme. Qu'est-ce qui lui souffle ? Il lui souffle l'énergie pour que l'être humain soit animé. Il lui souffle le vent de chaleur pour qu'il n'ait ni trop froid ni trop chaud. Il lui souffle ses pensées et ses idées pour les mettre à exécution, pour apprendre à discerner le bien du mal, pour vivre modérément, paisiblement, éternellement. Il lui souffle l'amour qu'il a en lui afin de grandir dans les meilleures conditions, pour devenir conscient, aimant à son tour et faire de l'homme un être circoncis de cœur. Il lui souffle les directives. Il souffle dans ses poumons et dans son cœur. Il souffle sans arrêt, avec patience pour ne pas perdre le contact avec sa création. Il souffle progressivement, d'un rythme régulier pour exercer sur l'homme le mouvement de la vie. C'est l'Esprit saint.

Dieu ne souffle pas d'impatience, il souffle d'amour pour la vie qu'il a créée. Dieu ne souffle pas des mensonges ou des idées stupides, il souffle les commandements qu'il a confiés à Moïse.

Il les répète et il espère que l'homme finira par les entendre et par les appliquer. Son souffle est l'oxygène d'un air si pur que l'homme devrait louer Dieu pour tant de bienfaits, pour tant de merveilles. Dieu se manifeste par l'air que nous devons protéger, et qu'il enveloppe de sa bienveillance afin de ne pas se laisser surprendre par l'ignorance.

Chapitre 32
Le Seigneur est mon berger

Le Seigneur est mon berger, je ne manquerai de rien. Il me met au repos dans des prés d'herbe fraîche, il me conduit au calme près de l'eau. Il ranime mes forces, il me guide sur la bonne voie, parce qu'il est le berger d'Israël. Même si je passe par la vallée obscure, je ne redoute aucun mal, Seigneur, car tu m'accompagnes. Tu me conduis, tu me défends, voilà ce que me rassure. Psaume 23

Certainement, oui ! Le Seigneur est mon berger. Il ne peut en être autrement puisqu'il est la source de toute création et que dans cette création, je suis cette création, comme il l'a décidé et au moment et à l'endroit qu'il était prévu pour moi. Je ne réalisais pas cette magnifique création. Je n'en avais pas totalement conscience. Alors, j'ai souvent perdu du temps à m'en plaindre et à me plaindre. Parce que de mon point de vue, je ne voyais pas la raison de mon existence et encore moins celle des autres. C'est ce qui se passe lorsqu'on est dans l'obscurité. Je le cherchais et dès que je croyais l'avoir trouvé, je revenais au début de mes investigations parce qu'il me manquait tellement d'éléments de compréhension que je ne pouvais voir clairement. Et puis, cette période de la COVID-19 a été révélatrice pour moi. Au lieu de m'en plaindre, au contraire, j'ai ressenti une énergie d'investigation encore plus grande. Je cherchais sans vraiment jamais chercher. Je ne sais expliquer ce qui peut réellement arriver à ce moment-là alors que les actualités étaient des plus dramatiques tant en termes de propagation du virus que sur les bilans quotidiens de la perte des êtres. Peut-on aussi se sentir égoïste en cette période ? Je ne ressentais aucune culpabilité à ce propos bien au contraire, j'ai eu l'impression que mon cœur et mon âme passaient une nouvelle étape. J'ai vu que le monde « ne tournait pas rond ». Ce n'est pas en soi par l'arrivée du virus, mais par les discours politiques, scientifiques et économiques qui me faisaient réaliser que la puissance ne pouvait être de ces gens-là mais bel et bien celle de Dieu. Certes, bricoler pour réparer ce virus qui se serait échappé et qui aurait provoqué autant de désastres humains, révélaient en clair que l'homme était donc capable de fabriquer sans savoir comment réparer ses erreurs. À coup de masques, de gants et de gels hydroalcooliques, il a tenté de maîtriser ce qui lui échappait et comme bien de fois déjà éprouvées par lui, il n'a toujours pas compris que ses recherches ne menaient pas à grand-chose d'autre qu'à une forme d'autodestruction. La soif vers la course d'une inconnue et d'une vie « meilleure » a engendré la quasi-totalité de l'humanité vers des endroits hostiles pour l'humanité. Si d'autres catastrophes de ce genre se succédaient, l'humanité tout entière ne s'en remettrait peut-être pas. La pauvreté matérielle serait telle qu'aucun endroit sur terre ne pourrait être accueillant. Les dirigeants de ce monde seraient peut-être les derniers à en pâtir mais ne seraient en aucun cas épargnés. Qu'ils se le disent ! La chemise et la cravate ne font pas les œuvres de l'homme ! Dieu nous a donné la permission de constater par nous-mêmes ce que nous serions capables de faire sur la Terre. Ça y est, je crois que nous avons vu. En ce qui me concerne, je ne supporte plus ces stupidités, ce manque de bon sens et cette course infernale vers la cupidité et l'avidité de l'argent, qui condamnent la plupart des gens sur cette planète.

Dieu non plus ne peut plus laisser faire. Nous récolterons ce que nous avons semé. Au lieu de se poser la question « quelle planète laisserons-nous à nos enfants ? » Il serait bien plus sensé d'ouvrir les yeux sur le devenir de cette planète et de cesser toutes ces absurdités destructrices qui influencent nos comportements. Nous sommes l'homme en devenir de sagesse, qu'on se le dise. Sommes-nous à ce point orgueilleux et aveugles pour ne pas nous rendre compte de nos mauvaises attitudes ? Nous avons déjà testé et essayé. Ceux-là dépassent tout entendement. Aimeriez-vous vous coucher sur un lit détruit, sale et froid ? Si tel n'est pas le cas, il est sage de se demander qui a détruit votre lit ? Si c'est vous, pourquoi l'auriez-vous fait ? Si ce n'est pas vous, accepteriez-vous que quelqu'un d'autre vienne abîmer votre lit ? Laisseriez-vous faire ? C'est ce que nous sommes en train de vivre. Dieu ne veut plus nous laisser faire. Dieu ne veut pas que toute sa création détruise son autel. L'autel qu'il a si intelligemment bâti pour qu'il devienne, pour qu'il soit le royaume de Dieu.

Chapitre 33
Je ne suis pas digne de te recevoir...

« Je ne suis pas digne de te recevoir, mais dis seulement une parole et je serai guéri », disent les prêtres à l'office. L'eucharistie ou les actions de grâce et la nourriture provenant de Jésus. Ces mêmes prêtres qui nous disent que nous ne sommes pas dignes d'être reçus par Dieu et ensuite nous demandent de venir prendre l'eucharistie. Mais qu'est-ce que tout cela veut bien dire ?

• *Je ne suis pas digne de te recevoir...*
Ah bon ? Je suis la création de Dieu, de même nature que la création de ce qui constitue l'univers et le monde dans lequel je vis. Je suis même la dernière création, précieusement conçue par Dieu qui a préparé le terrain pendant les six jours de la création dans le but de terminer son œuvre à l'apogée de sa ressemblance, c'est-à-dire dans la force et l'enveloppement du Tout.

Dieu m'a conçue depuis le quaternaire pour nous amener dans son royaume. Et moi, je lui ferai donc offense en lui disant que je ne suis pas digne d'avoir été créée et encore moins de le recevoir. Est-ce que le vase se demande s'il est la création de celui qui l'a conçu ? Je suis les particules de vie. Je suis la terre et l'eau et le soleil et les satellites des astres et les astres. Je suis le condensé du Tout.

Mais pourquoi ne serais-je pas digne de la plus haute création ? En refusant ma condition d'être humain telle que Dieu m'a créée, je me sépare de lui et je lui fais offense.

• *Mais dis seulement une parole...*
Dieu a fait parler les prophètes en gravant sa parole dans l'Ancien et le Nouveau Testament. Les Écritures relatent les paroles de Dieu ainsi que le sens de la vie et l'orientation à prendre. Dieu a laissé la plus grande partie de la connaissance à Moïse, notamment par ses commandements. Dieu nous permet tous les jours de nous rapprocher de lui, de l'entendre et mieux encore de communiquer avec lui. Et comme cela ne suffit pas, Dieu a aussi envoyé son fils bien-aimé et son enseignement à propos du Nouveau Monde et de la Pâque. Alors, j'attendrai encore une parole de lui ! Mais quelle parole ? Celle qui fera basculer mon incrédulité en foi ou bien celle qui me montrera que je ne suis pas seule dans ce monde ?

• *Et je serai guéri...*
Voilà autre chose. J'apprends donc que je serai malade puisque pour être guéri, il faut être malade. De quoi s'agit-il enfin ? De quelle maladie me parle-t-on ? Pourquoi me dit-on que je suis malade ? Certes, la parole de Dieu me guérit, c'est une certitude. Mais là où je m'étonne, c'est de croire que nous sommes malades. Creusons cette hypothèse, je suis malade. Je n'entends pas mais j'espère que la parole de Dieu viendra, et comme je n'ouvre pas le livre de la parole de Dieu, je ne sais pas ce qu'il me dit. Je décide, de ce fait, d'attendre que la Parole de Dieu me vienne de l'extérieur, comme ça, sans la chercher. Elle ne vient pas et je suis de ce fait toujours malade. Et où mène

99

la maladie si elle n'est pas guérie ? La maladie mène à la mort si elle n'est pas guérie.

Mais comme nous n'avons pas de vraies réponses dans nos églises, Dieu donne cette parole :

« J'entendis alors le Seigneur demander : "Qui vais-je envoyer ? Qui sera notre porte-parole ?" » « Moi, répondis-je, tu peux m'envoyer. »

Il reprit : « Va dire à ce peuple : "Vous aurez beau écouter, vous n'entendrez pas, vous aurez beau regarder, vous ne verrez pas. Rends-les donc insensibles, durs d'oreille et aveugles ; empêche leurs yeux de voir, leurs oreilles d'entendre et leur intelligence de comprendre, sinon ils reviendraient à moi et ils seraient guéris." »

Je demandai alors : « Jusqu'à quand, Seigneur ? » Il me répondit : « Jusqu'à ce que les villes soient dévastées et dépeuplées, les maisons vidées de leurs occupants et la campagne réduite en désert ».

Oui, le Seigneur éloignera la population du pays. Beaucoup de terres y resteront en friche. Si même le dixième échappe encore au désastre, à son tour il aura le sort des rejetons qui poussent de la souche d'un chêne ou d'un térébinthe abattu : « On les livre au feu. Mais cette souche est le gage divin d'un nouveau commencement. » Ésaïe, verset 6 : 8 à 13.

Chapitre 34
La vérité

Que la vérité soit faite sur cette terre. Que Dieu en décide...
La vérité est dévoilée dans les temps, les derniers temps de nos
absurdités et de nos excès de pouvoir, d'avidité, de cupidité. La
vérité révélant au monde le seul et unique pouvoir du Très-Haut,
du Tout-Puissant et créateur de tous les éléments de l'univers et
de la Terre.

Nous, les êtres humains mis sur cette Terre, nous n'avons pas
su préserver les richesses et la préciosité de cette terre. Nous
avons vu, en premier lieu, la survie pour nos ventres et pour nos
egos. Nous n'avons pas vu que cette terre est une grande
bénédiction pour nos âmes et qu'elle était créée par Dieu pour
nous mener vers un royaume qui surpasserait tout ce que nous
pouvions imaginer. Nous avons voulu faire ce que Dieu seul est
capable de faire pour nous. En ne lui faisant pas confiance et en
nous détournant de lui, nous avons saccagé la plupart de nos
éléments terrestres et nos vies se sont appauvries. Nous avons
choisi la voie d'un pseudo-confort et nous avons dit que nous
étions bien comme cela. Que Dieu ne pût satisfaire nos désirs
matériels et que pour cela, il était mieux d'aller se chercher tout
cela et en faire un enfer pour plus de la moitié de la terre. Alors,
certains ont décidé que l'argent était leur passe-droit pour

exploiter les autres êtres humains et tirer profit au maximum des ressources de la terre. Ils ont dit que de Dieu il n'y en aurait plus. Que si les hommes étaient sur cette terre, c'était pour en profiter, pour en jouir jusqu'à son dernier hâle. Une poignée d'hommes l'ont pensé comme cela. Avec cet esprit, ils ont entraîné la plupart des gens dans leur calvaire pendant qu'eux se mettaient à l'abri de leur autodestruction. On ne se moque pas de Dieu. Ils ont choisi les chemins de la destruction et de la peur pour gouverner, mais ils avaient également compris que leur orgueil était plus important que la vie de leur semblable. Ils ont fait de leurs semblables des gens différents, voués à les servir et à se sacrifier pour eux. Ils ont cru que Dieu ne les regardait pas. Pauvres d'eux-mêmes, ils ne savent pas que Dieu est au-dessus d'eux et qu'ils seront soumis au jugement de Dieu au centuple de leurs actions.

Ces mêmes gens-là ont soumis les autres à leurs caprices, à leurs envies, à leur pouvoir, à leur domination. Ils ont joué et ont dit que le progrès technologique était bien, que le progrès scientifique était bien. Ils ont décidé de faire de la terre des gens sans but. Ils ont transformé leur esprit et arraché leur cœur. Ils ont rendu les gens fragiles, oisifs et agressifs. Ils ont dit que cela était bien.

Ces gens-là ne voient pas, ne constatent pas que les diverses formes de maltraitance qu'ils font aux autres, ils le font contre Dieu. Ils ont meurtri leurs propres enfants et ils disent que cela est bien.

Ne peuvent-ils pas s'arrêter un instant ? Ils ne le peuvent pas, ils sont gonflés d'orgueil et d'une ignorance au-delà de tout entendement. Ils ne sont plus capables de discerner le bien du mal. Leurs visages, sous divers aspects, font semblant d'éprouver de la compassion, de l'empathie, de l'humilité ou de la loyauté. Ils font semblant mais n'en pensent pas moins. Ils n'ont percé aucun mystère, ne comprennent pas le sens de la vie sur cette merveilleuse planète. Dieu appellera tous ces gens-là pour qu'ils s'expliquent et ils resteront muets devant la grandeur de Dieu. Leur consternation les empêchera même de réagir, ils sentiront au fond de leur cœur, qu'ils ont oublié sur cette terre, les sentiments de culpabilité, de détresse et de peur, au-delà de toute leur compréhension et des souffrances qu'ils ont fait subir aux autres.

Chapitre 35
S'embrasser

Nous nous sommes embrassés, nous avons joué, sauté, exulté de joie et de folies diverses et variées. Nous nous sommes embrassés, nous nous sommes trahis, trompés. Nous nous sommes embrassés et avons fait ce que nous voulions, comme nous le voulions au gré de nos humeurs et de nos envies. Nous nous sommes embrassés et nous nous sommes manqués de respect les uns envers les autres. Nous avons embrassé comme on embrasse sans réflexion, sans sentiment, sans sincérité, sans pardon.

Et puis, un jour d'un seul coup, comme ça, nous avons cessé de nous embrasser. Nous sommes devenus contagieux aux embrassades des autres et des nôtres, nous nous sommes écartés les uns des autres. Nos embrassades sont devenues des gestes de défiance et de méfiance envers les autres, plus, des gestes contagieux. Le virus était là comme un obstacle à l'humanité, comme pour dire : « Arrêtez de vous embrasser, regardez plutôt autour de vous et voyez plutôt si vous avez embrassé la terre et tout le vivant, si vous avez une fois pensé à l'embrasser si fort que vous la respectiez au point de vous associer et de vous fondre en elle. Regardez autour de vous, pour savoir si vous regardiez la nature comme on regarde un bien précieux ou si vous passiez à côté d'elle sans la voir et pour en tirer profit. Levez les yeux vers le ciel et admirez comme tout nous a été donné. Avez-vous pensé une fois à remercier et à vous émerveiller devant tant de beauté et de bonté ? Avez-vous pensé à embrasser Dieu pour tous ses bienfaits, pour sa création si parfaite et si pure ? Avez-vous réellement levé les yeux vers le ciel et avez-vous pensé une seule fois à ce que nous faisions ici ? Avez-vous aimé Dieu au plus haut point de l'amour ? Avez-vous honoré le Seigneur pour tant d'amour, pour tant de miséricorde ? Avez-vous pensé une fois que votre vie a été désirée de la même intensité que la création des étoiles et des astres ? » Peut-être est-ce là le secret ; c'est de ne plus nous embrasser afin de tourner la tête de droite à gauche, de haut en bas, pour embrasser le mystère de la divine perfection.

Je te demande pardon, Seigneur, pour mon ignorance.

Je te demande pardon pour mon orgueil et pour mon arrogance. Pour t'avoir si souvent blessé, mal compris, ignoré, détourné mes yeux de toi, bafoué et déshonoré ma relation avec toi, ma relation avec la nature, et avec ton fils, et avec moi.

Tu m'as autorisée à vivre sur terre, avec toute ta douceur et ton amour éternel.

Tu m'avais dit, le jour de ma venue sur Terre que tu serais toujours mon père. Je n'avais pas compris que tu étais la source de mes pensées, de mes gestes et de mes actes, de ma croissance et de mes humeurs. Je n'avais pas réalisé à quel point tu es moi et que je suis toi. Je n'avais pas vu que le mystère de la création était inscrit dans mes cellules et dans mon âme. Je suis née aveugle et emprunte d'égoïsme. Tu m'as pourtant réveillée. Tu m'as dit de ne pas changer le chemin de l'âme que je suis, de ne pas toucher à la perfection de ta conception. J'ai voulu améliorer les choses par moi-même, je n'ai fait que les détériorer. Alors, tu m'as donné le souffle de l'amour et de la patience en continuant à me rappeler que je n'appartiens à personne d'autre qu'à ce que je suis.

Et je suis déphasée, déboussolée par tant d'amour. J'en arrive parfois plus à prier comme tu le voudrais. On dirait que mon cœur prie tout seul comme connecté à toi avec tant de force « aimante » que je me sens si petite et si grande à la fois pour tout ce que tu espères de moi, éternellement.

Imprimé en Allemagne
Achevé d'imprimer en octobre 2021
Dépôt légal : octobre 2021

Pour

Le Lys Bleu Éditions
40, rue du Louvre
75001 Paris